Y0-CAP-067

하광호 교수가 쓴 다른 책들

하광호 영문독해 I
하광호 영문독해 II
호울 랭구이지 영문법
호울 랭구이지 영어 배우기
(출간예정)

영어의 바다에 빠뜨려라

영어의 바다에 빠뜨려라

하광호
미국 뉴욕 주립대
영어교육과 주임교수

에디터
서울
1995

영어의 바다에 빠뜨려라

초판 1쇄 · 1995년 12월 14일
2쇄 · 1996년 1월 10일
3쇄 · 1996년 1월 20일
4쇄 · 1996년 2월 10일
5쇄 · 1996년 3월 10일
6쇄 · 1996년 4월 15일
7쇄 · 1996년 8월 10일
8쇄 · 1996년 8월 15일
9쇄 · 1996년 9월 9일
10쇄 · 1996년 11월 25일

지은이 · 하광호
펴낸이 · 김석성
펴낸곳 · 에디터
1991년 6월 18일 등록 제1-1220호
펴낸곳의 주소 · 서울시 종로구 내수동 1번지(대성빌딩 507호)
편집 · 722-1725
판매 · 723-9218 Fax:737-9656
편집 디자인 · 꾸밈
찍은곳 · 삼성인쇄주식회사

값 6,000원

ISBN 89-85145-06-1 03740

영어의 바다에 빠뜨려라

C O N T E N T S

미국 학생들에게 영어를 가르치며

영어공부, 정말 어려운가

C O N T E N T S

영어를 마스터하려는 사람들에게 주는 충고

언어는 문화다

큰일났다, 한국 영어

이 책이 나오기까지

먼저, 이 책이 나오기까지 내게 도움을 준 분들에게 감사를 드리고 싶다. 이덕주 회장님, 김석성 사장님은 이 책을 쓰는 데 물심양면으로 직접적인 도움을 주었다. 나는 이분들에게 빚을 많이 진 셈이다. 95년 여름 한국을 방문했을 때 서울, 부산, 대구, 인천, 광주 등 주요 도시의 중고교 영어 교사들을 상대로 영어강의 워크샵을 주선한 김성동 청와대 교육담당 비서관, 교육부의 김왕복 서기관, 김인희 사무관 등 여러 교육부 관계자 분들에게도 감사의 뜻을 표한다. 한국의 영어교육이 달라져야 한다고 믿는 이분들의 도움으로 나는 최근 한국의 영어교육 실태를 더욱 명확히 살펴볼 수 있는 기회를 가졌다. 그리고 마침내는 한국의 영어교육에 깊은 관심을 갖게 되었으며, 이 책을 쓰게 된 계기가 되었다. 사실 나는 현재 봉직하고 있는 미국 뉴욕주립대의 교수직으로 나의 평생 직장은 보장되어 있고, 이미 장성한 자식들은 미국에서 각기 기반

뉴욕 주립대 포츠담대학 총장 머윈 박사와 하광호 교수가 영어 연수 교육 문제를 협의하고 있다.

을 마련하고 있으므로 별 걱정없이 내가 어린 시절부터 공부해온 영어와 함께 살게끔 되어 있다. 그래서 이런 책을 쓴다든지 하는 것에 대해서 처음에는 그다지 마음내켜 하지 않았었다. 실제로 나는 대학에서의 강의 준비와 학문연구로 몹시 바쁘게 지내고 있는 터라 다른 것을 미처 생각할만한 여유가 없는 형편이다. 그러나 지난 여름에 있었던 한국 방문을 통해 알게 된(몇몇 분들은 93년 여름의 1차 방문에서 알게 된 분들이다) 한국의 영어교육에 관심 있는 분들, 그리고 앞 머리에 감사를 표한 분들의 호의에 힘입어 마침내 이 책이 나오게 되었다.

나는 다른 많은 사람들에게도 빚을 졌다. 물론 이 책에 좀더 자세히 나오게 되지만, 나는 6.25 전란후 한국의 교육 재건을 돕기 위해 미국 교육사절단의 일원으로 왔던 믹스볼 교수부부의 교육 보좌관으로서 함께 근무했는데, 그러한 깊은 인연으로 이분들이 나의 미국유학길을 열어 주었던 것이다. 이분들은 나의 부모와 같은 분들로서 미국까지의 항공요금으로부터 학비까지 전담했으며, 도미 후에도 나는 이분들의 집에서 졸업때까지 살았었다.

그분들이 나에게 베풀어준 호의는 그야말로 인간애 그것이었으며 믹스볼부부는 지금도 내 연구실의 책상머리에 사진으로 모셔져 있다. 이 세상에는 이처럼 같은 나라 사람도 아니고 피부빛깔도 다른 먼 나라의 보잘것없는 사람에게 아무런 조건없이 도움을 주는 은혜로운 일도 있다. 이 책은 그분들에게 바치는 마음으로 쓰여진 것이다. 나는 이 작은 책이 내가 한국에 살았을 때와 마찬가지로 지금도 날마다 밤늦게까지 영어학습에 순수한 열정을 바치고 있을 수많은 한국의 영어학도들에게 조금이라도 도움이 되었으면 하는 바람을 갖고 있다.

지난 여름 한국의 여러 도시를 돌며 행해졌던 영어교사들을 상대로 한 워크샵에서 알게 된 경기도 한 환 교육감에게도 감사드린다. 한교육감은 남다른 열성으로 내게 영어교육에 관한 자문을 요청하고 마침내는 우리 대학에 한국영어교사들을 위한 영어연수원을 설치하도록 나를 마구 몰아세운 분이다. 결국 96년부터 우리 대학 안에 한국의 영어교사들을 위한 연수과정이 개설될 예정이며 나는 그 연수원의 책임을 맡게 되었다. 내가 이 책을 쓰게 된 것은 이러한 영어교육의 자문을 요청하는 많은 분들에게 내 경험과 최신 영어교육 방법을 들려주고 싶어서이기도 하다.

물론 나는 우리 대학의 머윈 총장에게도 마땅히 감사를 드리고 싶다. 총장님은 연수과정의 개설뿐만 아니라 나의 한국방문을 통해 행해진 워크샵 활동 등에 관심을 갖고 격려를 아끼지 않았다. 머윈 총장은 평소에도 대학에서의 나의 역할에 대해 늘 뜨거운 관심을 보여주었고, 한국을 방문하여 나와 인연을 맺은 분들과 만나고 싶다고 할만큼 열성이 대단하다.

내가 이 책을 냈다고 하면 몹시 반가워해줄 또 한 사람이 있다. 1차 방문때 서울대학에서 서울의 주요 대학 영어관련 교수들과 영어교육 문제를 이야기할 수 있게 해준 박남식(서울대 영어연구소장)교수를 꼽을 수 있다. 박교수는 내가 고등학교 교사로 있을 적에 가르친 바 있는 나의 옛 제자이기도 하다.

또한 영어과외 모임에서 만나 평생동안 나와 짝이 되어 우리 가족의 든든한 안주인으로 뒤를 보살펴 온 아내에게도 감사를 표한다.

이 밖에도 감사해야 할 분들이 많이 있으나 이 글에 다 적지 못한 아쉬움이 있다. 그러나 나는 어느 한 사람의 이름은 내 마음속에 새겨두려고 한다. 한국에서의 영어혁명을 부추기며 내가 미국에서 쌓아올린 지식을 조국인 한국에 환원해야 한다며 줄기차게 나의 옷소매를 끈 그에게 진심으로 고마운 마음을 전한다.

나는 일평생 많은 분들로부터 도움을 받으며 영어공부를 해왔다. 이 책은 그분들이 내게 베풀어준 도움과 호의를 이 책을 읽을 한국의 독자들에게 나누어 갖고 싶은 마음에서 썼다는 것을 마지막으로 고백하고 싶다.

1995년 11월 1일
뉴욕주립대 포츠담 캠퍼스 연구실에서
하광호

이 글을 시작하며

내가 살고 있는 이곳 포츠담은 뉴욕주 북부, 캐나다와의 국경 지역이다. 한적하고 평화로우며 아름다운 이 마을은 미국의 짧은 역사치고 꽤 긴 역사와 전통을 자랑하는 지역이다. 마을에는 1800년대 초에 지은 건물들이 있는가 하면, 내가 재직하고 있는 뉴욕주립대학(포츠담)은 1816년에 세워진 대학으로 1백80년의 역사를 자랑한다.

인구 2만이 조금 넘는 이곳은 우리 뉴욕주립대학과 클락슨 대학(Clarkson University)이 중심이 되어 조용히 움직이는 아주 한가한 시골마을이다. 겨울에는 눈이 많이 오는 곳으로, 한국지도와 견주어보면 만주쯤에 자리하는 지역이다.

만일 서울에서 이곳을 찾아오려는 사람이 있다면 꽤 긴 여행을 각오하지 않으면 안된다. 서울에서 미국 동부까지는 대부분 13시간이 넘는 긴 비행거리인데 동부의 도시 중에서도 오로지 피츠버

그에서만 포츠담으로 가는 길을 찾을 수 있다.

포츠담에서 가장 가까운 공항은 머시나(Massena)공항. 피츠버그에서 적어도 하루에 한 번은 이곳 머시나 공항으로 가는 비행기가 있다. 이때 타는 비행기는 승객을 스무 명도 채 못 태우는 아주 자그마하고 귀여운 프로펠러 쌍발 비행기이다.

피츠버그를 떠난 이 비행기는 1시간 30분 후에는 워터타운(Watertown)이라는 역시 눈 많이 내리기로 유명한 작은 마을에 잠시 머물렀다가 다시 떠서 30분 후에는 머시나 공항에 도착하게 된다.

한국의 시골 역사(驛舍)를 연상시키는 이 작은 공항에 프로펠러 비행기가 뜨고 내리는 광경은 마치 동화처럼 따뜻한 감동을 불러 일으킨다. 그 공항에서 다시 자동차로 40분쯤 가면 바로 포츠담, 내가 사는 동네가 나온다.

이곳에 오는 또 한 가지 방법은 캐나다의 오타와 공항에 내려 거기서 1시간 반 정도 차를 타고 오는 방법이다. 어쨌거나 한국에서 오기에는 멀고도 먼 곳이다.

나는 이곳에서 1년의 대부분을 보낸다. 미국의 사범대학 학생들에게 영어를 가르치고 연구하고 공부하면서 눈코 뜰 사이 없이 지독하게 바쁜 생활을 하고 있다.

교수생활이 너무 바쁘고 즐거워서 내게는 따로 취미생활이라고 할 만한 것이 없다. 아니 다른 일에 시간을 빼앗기는 것이 싫어서 나는 골프처럼 많은 시간이 필요한 취미생활 같은 것은 아예 꿈도 꾸어 본 일이 없다.

미국대학의 긴긴 여름방학이 시작되면 나는 가족들이 살고 있는 뉴저지의 집으로 돌아간다. 뉴저지에서 오랫만에 만난 가족들

1995년 뉴욕 주립대 포츠담 캠퍼스에서 학생들 졸업식장에 참석했을 때의 하광호 교수. 이 대학 유일의 동양인 영어교육학 교수이다.

과 한가한 시간을 가지며 재충전을 위한 여가를 보내고 나는 다시 설레는 마음을 안고 대학으로 돌아가 강의 준비에 몰두하곤 한다. 내게 있어서 대학의 강의실과 연구실이란 내 필생의 사업인 영어공부를 다듬고 완성해 가는 곳이며, 내 삶의 둥지이기도 하다.

지난 해 우리 대학의 졸업식에서 동료교수들과 함께 기념사진을 한 장 찍었다. 나중에 그 사진을 물끄러미 들여다보고 있자니 괜히 웃음이 나왔다. 그 사진 안에 노란 얼굴을 한 동양인이라곤 나 혼자뿐이었던 것이다.

내가 미국땅을 처음 밟은 것은 1966년 8월. 아내와 아이들을 한국에 남겨 두고 홀홀 단신 유학길에 오른 나는 굳은 결심으로 미국생활에 뛰어들었다. 그리고 장년기와 중년기를 고스란히 영어공부와 영어교육에 바쳤다. 사람의 일생에서 가장 열성적인 에너지와 의욕이 넘치는 30대와 40대를 아낌 없이 영어공부에 쏟아 넣었던 것이다.

일반적으로 이민 1세라고 하면 언어의 장벽을 뛰어넘는 것조차 어려운 것이 현실이다. 더군다나 한국에서 서른살 가까이까지 살았던 사람으로서 미국인과 같은 수준의 영어를 구사한다는 것은 보통 어려운 일이 아니다. 그런 형편에 미국의 대학(영어교육과)에서, 미국의 영어교사가 되려는 학생들에게 한국인인 내가 영어 가르치는 법을 가르치는 직업을 갖게 되었다는 것은 그리 흔한 일이 아니다.

그렇기 때문에 많은 사람들이 내게 특별한 관심을 갖고 영어공부의 비법을 물어 오는 것일 게다. 1995년 여름, 오랫만에 한국을 방문했을 때 나는 몇몇 신문, 잡지와 인터뷰를 했는데 그 반응은 상상 이상으로 놀라웠다.

그것은 아마 한국 영어교육의 고민이 그만큼 깊고 심각하다는 사실을 반영하는 것일지도 모른다. 나는 방문길에 한국에서 갑작스레 영어교사들을 위한 워크샵을 열게 되었고 여러 곳으로부터 영어교육에 관한 자문요청을 받기도 했다. 우연한 휴가여행에서 뜻하지 않게 많은 숙제와 부담을 지고 미국으로 돌아오게 된 것이다.

미국에 돌아와서도 한국의 여러 곳으로부터 연락을 받았는데, 그들 대부분은 내게 영어 교수법에 관한 자문을 해달라거나 나만의 영어공부 비법을 공개해 달라는 요구를 해왔다.

결국 이 글은 그 질문에 대한 내 방식의 대답인 셈이다. 내가 중학교 시절부터 심혈을 기울여 해온 영어공부 과정을 소개해 가다 보면 자연스레 나의 영어공부 방법이 드러날 것이고 더불어 나의 영어교육 철학도 보여줄 수 있을 것으로 생각한다.

나는 처음부터 이 책에서 내가 주장하고 있는 '총체적 영어교육 철학'에 대해 이야기하지는 않겠다. 그러나 나의 영어공부 과정을 풀어가다 보면 독자들은 아주 쉽게 나의 영어교육 방식의 기조를 이해하게 될 것이다.

동시에 한국의 영어교육이 안고 있는 문제점들을 되돌아볼 수 있을 것이고 그 안에서 해결책을 모색해 볼 수도 있을 것이다.

우리는 왜 영어를 배우는가? 도대체 어떻게 영어를 공부하는 것이 효과적이며, 어떤 방식으로 가르치는 것이 가장 이상적인가? 아직도 이런 의문에서 헤어나지 못하고 있는 사람들이 있다면, 나는 그들에게 언어의 본질에 대해서 한 번만 깊이 생각해 볼 것을 권하고 싶다.

"언어의 가장 본질적인 기능은 의사전달을 하는 것이다."

듣고 말하고 읽고 쓰는 것도 결국은 의사소통을 위한 수단으로서 기능하는 것이다. 따라서 어떤 언어를 배우는 목표는 그 언어로 완전히 의사소통을 할 수 있는 단계에 도달하는 데 있다. 그것만 되면 그 언어교육은 성공한 것이다.

말을 좀 바꾸어 설명하자면, 외국어 학습자의 최종적인 목표는 빨리 외국어를 배워서 그 언어를 모국어로 사용하는 사람들과 자연스럽게 대화를 하고, 문화를 이해, 교류하는 데 있다. 그럴려면 원음인들의 언어 습득 방식의 길로 접어들어야 최종 목표에 더 빨리 다가갈 수 있다.

어떤 언어든 모국어를 습득하는 과정에는 별 차이가 없는 것처럼 외국어를 익히는 조건도 마찬가지다. 다른 것이 있다면 거기에는 이 방식을 더욱 촉진시킬 '교사'가 있다는 것뿐이다.

우리가 말을 할 때, 단어 하나 하나에까지 일일이 신경을 쓰며 이야기하지는 않는다. 거의 반(半) 무의식적으로 생각하고 있는 것을 거침없이 쏟아내게 마련이다.

따라서 우리가 언어를 배운다는 것은 바로 '반(半) 무의식적이기 되기 위한 의식적인 노력'을 말한다. 이 말은 언어를 거의 무의식적으로 사용할 수 있는 수준에 이르도록, 의식적인 노력을 계속해야 한다는 뜻이다.

모국어를 배우는 과정도 면밀하게 분석해 보면 사실은 다 이런 과정을 거치고 있다. 그러나 우리가 그 과정을 거의 무의식적으로 겪고 있기 때문에 느끼지 못하고 지나치고 있을 따름이다. 그래서 모국어를 '배운다(learn)'는 표현을 쓰지 않고, '습득하다 또는 익히다(pick up or acquire)'는 표현을 사용하는 것이다.

우리가 모국어가 아닌 또 하나의 언어, 영어를 배워야 하는 이유로는 여러 가지를 들 수 있다. 영어공부를 열심히 해두면 입시나 사업을 위해서 이로운 것은 물론이고, 그 외에도 헤아릴 수 없이 많은 이점이 있다. 더 많은 정보와 지식을 접할 수 있으며 접근 가능한 사회와 문화의 영역도 믿을 수 없을 만큼 크게 확대된다. 영어는 '세계어'이기 때문이다.

게다가 지금의 신세대들이 살아가고 있는 세계는 안방에서 컴퓨터 하나만 가지고 인터넷을 통해 세계를 누빌 수 있는 시대다.

이러한 시대에 영어가 얼마나 강력하고 필수적인 수단인가에 대해서는 따로 설명할 필요조차 없을 것이다.

나의 이 글이 영어를 배우고 가르치려는 영어학도들에게 도움이 되었으면 한다.

나의 인생을 바꾼 영어

오늘은 눈이 오는군요

내가 영어라는 미지의 언어를 최초로 만난 것은 국민학교에 다닐 때였다. 당시 광주서중학교에 다니던 삼촌은 학교에서 돌아오면 늘 영어 교과서를 펴놓고 소리 내어 읽곤 했다. 삼촌은 남들이 잘 모르는 것을 자기만 읽을 줄 안다고 뽐내기라도 하듯 큰 목소리로 영어 교과서를 읽었다.

나는 왠지 삼촌이 부러워서 잔뜩 귀를 기울이고 그 소리를 들었다. 어린 내 귀에 들리는 그 영어발음이, 그 생소한 발음이 왜 그렇게 신기하고 흥미로웠는지… 저런 이상한 말로도 사람들끼리 서로 의사가 통하는 것일까. 나는 나도 모르는 사이에 그 이상하고 신기한 소리에 빠져 들곤 했다. 그리고 가끔 몇 마디씩 소리 내어 따라 해보기도 했다.

"Stand up(서라)."

"Sit down(앉아라)."

"I am a boy(나는 소년이다)."

나는 삼촌이 자랑스레 가르쳐주는 대로 열심히 흉내를 냈다. 그러는 사이 내게도 본격적으로 영어를 배울 수 있는 기회가 찾아왔다. 나도 드디어 고창중학교에 입학하여 어엿한 중학생이 된 것이다. 알파벳을 익히고 서서히 영어책을 읽을 수 있게 되자 나는 영어에 대한 나의 호기심을 본격적으로 충족시킬 수 있게 되었다.

나는 지금도 내게 처음으로 영어를 가르쳐주신 문장욱 박사를 잊지 못한다. 그분이야말로 내가 평생 영어에 흥미를 느끼고 공부할 수 있는 토대를 마련해주신 분이다. 만일 그분이 아니었다면, 내가 아무리 영어에 관심이 많았다 해도 그것을 제대로 발전시키기 어려웠을 것이다. 한 사람의 선생님이 한 젊은이의 인생을 바꾼다!

당시 고창중학교의 영어교사였던 문장욱 박사는 미국에서 역사학으로 박사학위를 받은, 당시로서는 보기 드문 매우 특별한 경력을 지닌 분이었다. 그분은 일제 치하에서 자신의 능력을 제대로 발휘할 수 없다는 것을 알고 초야에 묻혀 후학을 가르치는 일에 몰두하고 있었다. 나는 운좋게도 그런 스승에게서 출발부터 제대로 된 영어를 배울 수 있었다.

고창중학교 1학년 때 방학이 되어 집에 돌아간 나는 광주서중과 광주동중으로 진학한 친구들을 만났다. 친구들과 새로 배우기 시작한 영어과목에 대한 이야기를 하다가 나는 친구들의 영어발음이 나와는 전혀 다르다는 사실을 알게 되었다. 그도 그럴 것이 그들의 영어발음은 일본인 선생에게서 배운 것이어서 전형적인 일본식 영어였던 것이다.

아직 걸음마에 불과한 실력이면서도, 나는 미국에서 공부한 선생님에게 배운 내 영어가 진짜일 거라는 자부심까지 느꼈다. 그러나 바로 그해에 해방이 되어 문장욱 박사를 비롯한 당시 고창중학교에 근무하던 우수한 교사들은 모두 서울로 가버렸다. 훗날 문박사는 안호상씨가 초대 문교부 장관을 하던 시절에 차관을 지내기도 했다.

나는, 실력 있는 교사들이 모두 떠나버린 고창중학교를 떠나 목포의 문태중학교로 전학을 가게 되었다. 그때 목포에는 미군이 주둔하고 있었기 때문에 거리에서 미군과 마주치는 일이 자주 있었다. 내 눈앞에 다가온 미군의 존재는 내게 영어로 말해보고 싶다는 욕구를 불러 일으켰다. 내가 배운 그 외국어가 정말로 이 사람들에게 통할까. 나는 그것을 실험해보고 싶어 늘 안달이었다. 그러나 기회는 그리 쉽사리 찾아오지 않았다.

우선 내 말을 그 사람들이 잘 알아듣지 못하면 어쩌나 하는 불안감 때문에 섣불리 입을 떼기 어려웠고, 나와 말 상대를 해줄 미국인을 만난다는 것도 쉬운 일이 아니었다. 나는 용기를 내어 아무에게나 말을 붙여보기로 하고 기회를 엿보았다.

그해 겨울, 눈이 내리는 어느날이었다. 목포 시내를 걸어다니다가 나는 우연히 건물 밑에 서 있는 한 미군을 마주치게 되었다. 속으로 '이때다!'라고 외치면서 그 앞으로 다가갔는데 막상 무슨 말을 해야 할지 망설여졌다. '처음 만난 사람인데 무슨 말을 하나…'

마침 눈이 내리고 있기에, 나는 용기를 내어 그에게 이렇게 말을 걸어 보았다.

"It is snowy today.(오늘은 눈이 오네요)"

"Yes, it is.(네, 그렇군요)"

'그가 대답을 했다!' 나는 내 귀를 의심했다. 그가 내 영어를 알아듣고 대답을 해주다니…. 나는 하늘에 날아오르기라도 할 것 같은 벅찬 느낌이었다. '알아들었다, 알아들었어. 저 미국인이 내 영어를 알아듣고 대답을 해주었단 말이야!' 그 순간 뛸 듯이 기뻤던 심정은 지금도 어제의 일처럼 기억에 생생하다. 그때의 기쁨은 어린 내게 어떤 말로도 표현할 수 없을 만큼 굉장한 것이었다. 그리고 그 최초의 체험이 오늘까지 나를 밀어온 원동력이었는지도 모른다.

이것이 내 생애 최초로 미국인과 만나 영어로 이야기해본 경험이다. 미군과의 첫 회화(?)를 성공적으로 하고 나서 나는 크게 고무되었다. 나도 할 수 있다는 자신감이 생겼다. 그 뒤로는 거리에서 마주치는 미국인들을 그냥 보내는 것이 아까워 애가 탈 정도였다. 어떻게 무슨 얘기든 걸어보려고 무진 애를 썼다.

중학생의 얄팍한 영어실력을 가지고 나는 혼자서 여러 가지로 궁리를 하곤 했다. 많지 않은 참고서를 뒤져가며 내딴에는 심각하게 연구를 해 가지고 이런저런 표현들을 외워 두었다. 그러다가 기회가 닿으면 재빨리 시도를 해보았고 그들로부터 반응이 오면 기뻐 어쩔 줄 몰랐다.

당시의 나는 거의 '재미'를 위해 그런 시도를 했기 때문에, 그것이 '공부'라는 느낌은 전혀 없었다. 그저 즐거우니까 일종의 놀이로서, 그 일에 빠져든 것이다.

어린 시절의 이러한 체험들은 훗날 내가 영어학자로서 어떻게 영어를 가르치고 배울 것인가 하는 방법들을 연구하는 과정에서 중요한 자료로 활용되었다. 나는 지금도 외국어를 공부하는 사람들에게 늘 상황에 맞는 말을 해야 외국어를 체득할 수 있다는 점을 강조한다.

만일 그때 눈이 오지 않았더라면, 내가 애써 "It is snowy today."라는 말을 해본들 그 미군이 그런 반응을 보였을 리가 없다. 아마도 내가 정신이 좀 이상하다든지 장난을 친 것으로 오해했을지 모른다. 그러나 당시의 상황이 정말 눈이 오고 있었기에 우리는 짧으나마 '멋진 대화'를 할 수 있었던 것이다.

살아 있는 상황을 이용하라. 자기 자신과 아무런 관련이 없는 공허한 주제로 영어를 해본들 그것은 크게 도움이 되지 않는다. 살아 있는 영어를 배우라는 것은 바로 이런 뜻이다.

눈이 온다는 표현쯤이야 기초 중에서도 기초에 불과하지만 실제 생활에서 한 번 응용해 본 후부터 그 표현은 완전히 나의 것으로 녹아들었다. 그것은 더 이상 책 속의 활자로 박혀 있는 것이 아니라 살아있는 나의 말이 된 것이다.

일제 시대에 영어를 배운 사람들은, 그 후에 배운 사람들도 대부분 마찬가지겠지만, 'I am a boy.(나는 소년이다) You are a girl.(너는 소녀다)'이라는 영어 문장을 아주 특별하게 기억하고 있을 것이다. 이 문장은 그 시절에 영어를 배운 많은 사람들에게 최초로 습득한 영어 문장으로 머릿속에 남아 있을 것이기 때문이다.

그러나 실제로 대화를 할 때 이 말을 써본 사람은 과연 몇이나 될까. 아니 이런 표현을 직접 쓸 수 있는 실제 상황이라는 것이 과연 존재하기나 할까. 내 대답은 '노(No)'이다. 나는 지금도 이 문장을 생각하면 웃음이 나온다. 'I am a boy. You are a girl.(나는 소년이다. 너는 소녀다)' 사람을 앞에 놓고 이런 표현을 쓸 수 있겠는지 상상해 볼 일이다. 그래서 도대체 어떻다는 것인가.

이것이 바로 죽은 영어와 산 영어를 구분하는 방법이다. 우리가 아무리 영어를 열심히 공부해도 자신의 생각을 영어로 쉽게 표현하지 못하는 것은 이런 식으로 영어를 배웠기 때문이다. 실생활에서 도무지 써먹을 수 없는 토막 영어, 나와는 아무 관련도 없는 표현을 죽어라고 외고 있으니 그것은 사실 언어를 배우는 것이라고 할 수조차 없는 일이다.

진흙탕에 빠진 미군 지프차

미국인이 내가 말하는 영어를 알아듣는다는 사실은 내게 더할 나위 없이 커다란 자극이 되었다. 나는 어떻게 해서든지 영어를 더 잘하고 싶었다. 영어를 더 유창하게 하려면 공부도 많이 해야 했지만 실전 횟수도 늘려야 했다. 길에서 우연히 미군을 마주치기를 기대하는 것만으로는 부족했다.

그래서 새로 개척한 곳이 성당이었다. 그곳엔 아일랜드계 미국인 신부가 한 분 계셨으므로 그분과 잘 사귀기만 한다면 영어회화의 기회는 얼마든지 얻을 수 있다는 생각이 들었다. 그런데 안타깝게도 그 신부님은 한국어를 아주 잘하는 분이었다.

그래도 나는 그분에게 늘 영어로 말을 걸었고 신부님도 내 마음을 이해하는지라 기꺼이 내 대화상대가 되어주셨다. 나는 그와 영어로 이야기할 기회를 더 많이 얻기 위해 나중에는 자청해서

세례를 받기까지 했다.

이렇게 피나는 노력 끝에(말이 그렇다는 것이지 내가 그렇게 괴로웠던 건 아니다) 나는 우리 동네에서 제법 영어를 할 줄 아는 중학생으로 통하게 되었다. 그 무렵의 일이다. 당시 나는 방학을 맞아 나주군 영산포읍 부덕리에 있는 집에 가 있었다. 그해 여름에는 비가 어찌나 많이 내렸는지 강물이 불어나는 바람에 마을 어귀의 작은 도로가 물에 잠기고 말았다.

어느날 동네 어른 몇 분이 다급한 표정으로 우리 집으로 들이닥쳤다. 무슨 일인가 해서 나가보니 어른들이 내게 "같이 좀 가볼 데가 있으니 나가자."고 했다. 미군 지프가 마을 앞을 지나다가 진흙탕에 바퀴가 빠져 마을 사람들에게 도움을 청하는 것 같은데 도대체 그들이 뭘 해달라고 하는지 알 수가 없다는 것이었다.

동네 어른들은 내게, 그 미군들이 열심히 손짓 발짓을 해가며 뭔가 도와달라는 얘기를 하는 것같은데 그게 무슨 소리인지 좀 들어보라고 했다. 사실 나는 당시 우리 마을의 유일한 중학생이었다. 나는 일종의 책임감과도 같은 부담을 느끼면서 걸음을 빨리해 어른들을 따라 마을 어귀로 가보았다.

정말로 몇 명의 미군들이 진흙탕에 빠진 지프를 둘러싸고 난처한 표정으로 모여 있었다. 그들이 하는 말을 찬찬히 들어보니 나무판자를 갖다 달라는 이야기였다.

당시 나는 그들이 말하는 내용을 1백% 이해할 수는 없었지만 어쨌든 그들이 절박하게 필요로 하는 것이 무엇인지는 대강 짐작할 수 있었다.

지금 생각해보면 lumber(재목)라는 낱말 하나를 정확히 이해하지 못한 서툴기 짝이 없는 실력이었지만 그 실력을 가지고도 나는 어쨌든 내 생애 처음으로 통역의 역할을 해낸 셈이었다. 곤혹스러워 보이기만 했던 미군들의 얼굴도 풀어지고 마을 사람들의 답답하다는 표정도 사라졌다.

마을 어른들은 내가 전하는 미국인들의 요구에 따라 그들을 도와줬고 마침내 지프는 진흙탕을 벗어나 마을을 떠나갔다. 그들은 내게 몇 번이나 고맙다는 말을 했고 마을 어른들도 감탄의 눈초리로 나를 바라보는 바람에 나는 우쭐한 기분이 들면서도 어쩐지 부끄러웠다.

그 사건으로 인해 나는 단번에 영어 잘하는 신통한 중학생이라는 평을 듣게 되었다. 그 작은 동네에서는 나에 관한 이야기가 단연 하나의 사건이 되어 퍼져 나갔다. 어른들의 칭찬을 듣자 나는 점점 더 어깨가 으쓱해졌다.

지금도 통역 아닌 통역을 하던 그날의 순간 순간이 생생하게 머릿 속에 떠오른다. 나는 그날 일을 계기로 더 영어에 재미를 붙였고 자신감과 긍지로 똘똘 뭉쳐 더 잘해 보겠다는 다짐을 하게 되었다.

당시 내 영어공부를 적극적으로 도와준 또 한 사람은 서울상대의 전신인 경제전문학교에 다니고 있던 삼촌이었다. 삼촌은 그때만 해도 서울에서나 구할 수 있는 영자신문 '서울 타임즈(Seoul Times)'를 사서 부쳐주시곤 했다.

또 삼촌은 내게 영어로 편지를 써 보내시기도 했다. 삼촌의 영어편지가 오면 나는 그 즉시 영어로 답장을 쓰곤 했다. 지금 생각해보면 나는 그때 벌써 총체적 언어 프로그램을 실천하고 있던 셈이었다. 영자신문과 영어편지를 읽고 답장을 쓰는 과정은 바로 총체적 언어교육 프로그램이 권하는 읽고 쓰고 이해하기의 과정이 전부 들어 있는 이상적인 교육방식인 것이다.

이런 과정을 거치면서 나의 영어실력은 눈부시게 발전해갔다. 영어공부를 하는 것이 그 무엇보다 재미있었으므로 나는 누가 시켜서가 아니라 스스로 열심히 공부했다. 나는 지금도 언어 습득의 제1조건은 본인의 강한 욕구라고 믿고 있다.

외국어를 잘하려면 먼저 외국어를 배워보겠다는 동기가 있어야 하고 그래야 그 언어에 대한 흥미가 생긴다. 여기에 왜 그 외국어를 배우려고 하는가 하는 목표까지 설정된다면 금상첨화라 할 수 있다.

물론 요즘의 한국학생들에게도 분명한 외국어 학습의 동기가 있기는 하다. 그것은 다름 아닌 '입시'라는 목표이다. 그러나 입시라는 목표에는 한계가 있다. 입시가 끝나는 순간 외국어를 공부해야 하는 목표가 상실되기 때문이다. 따라서 이런 목표만 가지고 지속적이고 장기적인 외국어 공부를 한다는 것은 무리다.

나는 미국인과 이야기하고 싶고 그들과 친구가 되고 싶은 욕심으로 쉬지 않고 영어공부에 매달렸다. 지금 생각해보면 그것은 상당히 현실적이고 유용한 목표였던 것같다.

나의 영어 공부 방법

혼자서 영어 공부를 하던 시절에 나는 이런저런 시도를 해보았다. 그 중에서도 제법 효과가 있었다고 생각되는 것은 좋은 영어 표현을 발견할 때마다 그때그때 기록을 해두는 노트를 만들었던 일이다.

나는 두툼한 노트를 한 권 가지고 다니다가 새로 발견한 단어나 문장들을 틈틈이 적어 두었다. 영화를 보다가도 색다른 표현, 재미있는 용어가 나오면 기록을 해두었고, 책을 보다가도 모르는 단어나 좋은 문장을 발견하면 잊지 않고 써두었다.

처음에는 그 일이 그렇게 자연스럽게 되지 않았다. 좋은 표현을 보고도 기록하는 일을 잊어버리는 바람에 나중에 안타까워 했던 일이 한두 번이 아니었다. 글자 그대로 의식적인 노력을 끊임없이 기울이지 않으면, 곧 잊어 버리거나 중도에 포기하기 십상이다. 여러 시행착오를 거치면서 이 작업을 끈기있게 해나간 덕에 마침내 메모하는 일은 내게 하나의 습관으로 자리잡을 수 있게 되었다.(영어에 관한 한 메모광이 될 필요가 있다.)

한번 들은 것은 절대 잊어 버리지 않겠다는 야무진 다짐을 하고서 토막글이라도 흘려 버리지 않고 기록을 해두었더니 티끌 모아 태산이라고 이 노트가 나중에 크게 도움이 되었다. 나는 이 노트를 꽤 오래 보관하기도 했다.

그러나 한 번 써두는 것만으로 만족해서는 안된다. 반드시 그 표현을 내것으로 만들고 말겠다는 욕심으로 열심히 외워야 한다. 물론 외는 것만으로는 효과가 없다. 반드시 실제 상황에서 한 번 써보고 그 말이 통한다는 것을 느껴야 비로소 나의 언어가 되는 것이다.

나는 미국인을 만날 때마다 내가 공부해둔 표현을 써볼 수 있는 기회가 나타나기를 호시탐탐 노렸다. 늘 그 생각만 하고 있으니 의외로 기회가 많다는 것도 깨닫게 됐다.

내가 생각해둔 표현을 써보면 상대방에게서 즉각 반응이 온다. 반응 역시 내가 기대했던 대로다. 운이 좋으면, 미국인의 입을 통해 한두 가지 표현을 더 배우기도 했다.

나는 참 끈질긴 중학생이었다. 잘 모르는 것이 있을 때는 주변의 외국인들을 붙잡고 귀찮을 정도로 질문을 해댔다. 목표는 하나, 내가 완전히 이해할 수 있을 때까지 묻고 연습하는 것이다.

물론 실수도 많이 했다. 지금도 생각나는 일이 하나 있다. 어느 날 광주 시내를 걸어가다가 좁은 골목길에서 흑인 병사 한 사람과 마주치게 됐다. 워낙 좁은 길이라 서로 길을 비켜주며 지나가야 할 상황이었다. 내가 그 기회를 놓칠 리 없다. 나는 재빨리 그에게 인사를 했다.

"Good morning. Where are you going?"

(안녕하세요. 어디 가십니까?)

한국말로 하면 하나도 이상할 것이 없는 인사지만 그 외국인의 귀에는 아주 이상하게 들렸을 것이다. 게다가 처음 만난 낯선 사람이 아닌가.

당장 그의 표정이 불쾌하게 일그러지더니 퉁명스럽게 쏘아댔다.

"Why did you ask this question?"

(왜 그런 걸 물어보지?)

그의 얘기는 아마도 '내가 어딜 가든 처음 보는 녀석이 웬 참견이냐'는 뜻이었던 것같다.

그래서 나는 또 한 가지 중요한 사실을 배웠다. 말은 그저 한국어를 영어로 바꿔 놓는다고 해서 의미가 통하지는 않는 그런 것이란 깨달음이었다. 내가 한 말이 문법적으로 흠이 없는 것일지라도 문화적으로 용납할 수 없는 것이면 그것은 진정 옳은 표현이 될 수 없는 것이다. 낯선 사람에게 대뜸 어디 가느냐는 질문을 하는 것은 매우 불쾌한 느낌을 준다.

이렇게 해서 나는 외국어 습득이란 문화에 대한 이해가 없이는 무용지물이라는 교훈을 체험으로 얻게 되었다.

첫직장을 영어학습장으로

내가 고등학교 시절 가장 많이 본 영어책이 한 권 있었다. 이제는 책 제목이나 저자 이름도 기억 속에서 사라지고 말았지만 어느 일본인이 쓴 영어 교재였다. 그 책은 요즘도 한국에서 흔히 볼 수 있는 것과 비슷한 독해며 작문 문법 등이 뒤섞여 쓰여진 책이었다.

별 달리 특별한 참고서가 없는 상황에서 나는 그 책이 너덜너덜해지도록 끼고 다녔다. 처음부터 끝까지 독파한 횟수만 해도 열 번 가까이 됐던 것으로 기억한다. 그 책으로 공부할 때는 영작문 부분을 열심히 봤는데 거기서 공부한 것을 실제 상황에서 써보니 제법 효과가 좋았다. 난 스스로도 내 영어실력이 빨리 발전하고 있다고 느낄 정도였다.

혼자서 영어 공부를 하고 그것을 미국인을 만나 실험해보고 하는 과정은 매우 흥미로웠다. 그저 연습 삼아 하는 기본적인 영어 표현에 지나지 않는 것일지라도 대개 실제 상황에 맞는 표현을 찾아 썼으므로 '영어로 이야기가 통한다'는 짜릿한 감동을 자주 맛볼 수 있었다.

나는 아예 영어로 이야기가 통하는 상황을 지속적인 것으로 만들어야겠다는 결심을 하게 됐고, 그래서 눈독을 들인 것이 영어를 쓰는 직장을 찾는 일이었다. 그것이 앞으로 영어를 더 잘하는 최상의 공부방법이 될 것이라고 믿었기 때문이다. 또 현실적으로도 그럴 수밖에 없었던 것이 나의 유일한 최강의 무기는 영어이기도 했다.

고등학교를 졸업한 후 나는 전남 송정리에 있었던 유엔군 사령부의 통역보좌관이라는 일자리를 구할 수 있었다. 그곳에서 내가 요즘에 와서 강조하고 있는 '목적이 담긴 생생한 현실' 그 자체를 체험하게 되었던 것이다.

나는 그 직장에 근무하면서 다양한 상황 속에서의 다양한 언어체험을 할 수 있었다. 늘 새로운 상황이 벌어졌고 나는 그때그때 어울리는 적절한 표현들을 자연스럽게 배워 나갔다. 기회가 생기면 외국인을 집으로 초대해서 간단한 대화나마 함께 나누기도 했다.

이야기가 조금 빗나가긴 했지만, 내가 요즘 한국에 수신자 요금부담으로 전화를 할 때 가끔 겪는 일이 있다. 미국 측 교환수가 전화를 연결하면 한국 쪽에서는 전화를 받은 사람이 상대가 영어로 말하면 당황하여 전화를 그대로 끊어버리는 것이다.

물론 그 당황스런 마음을 이해 못하는 바는 아니지만 문제는 상황이 전혀 개선될 기미를 보이지 않고 반복된다는 데 있다. 간단하게 '예스'(yes)라고 하면 될 텐데도 일단 영어가 나오면 겁을 집어먹고 아예 대응을 거부해 버리는 것이다.

어떤 사람은 '아무도 없어요' 라는 뜻인지 "No man."이라고 말하고 황급히 송수화기를 내려놓는 경우도 있었다. 이것이야말로 실제 상황이다. 그때 누군가가 옆에서 어떻게 말하라고 한 번만 가르쳐 주었다면, 다시는 같은 실수를 반복하지 않을 것이다. 1)

그렇게 해서 영어로 말이 통한다는 작은 체험을 했더라면 아마 그 사람은 용기를 얻어 조금씩 더 긴 말을 영어로 시도하게 될지도 모른다. 실제 상황이야말로 가장 많은 것을 가장 진하게 가르쳐 준다. 주변에 알게 모르게 널려 있는 기회를 포착해보자. 분명히 효과를 얻을 수 있을 것이다.

미국고문단의 통역일을 하면서

1953년 이승만 대통령의 반공포로 석방이 이뤄진 후 나의 직장이었던 유엔군 사령부도 옮겨지고 말았다. 대신 송정리에 있는 미국군사고문단의 통역보좌관으로 자리를 옮겨 일을 하게 되었다. 한 번 경험이 있으니 두 번째부터는 일자리를 찾는 일이 훨씬 쉬

---

1) 다음은 국제전화 교환수가 보통 하는 말들이다. 나는 AT&T회사를 이용하고 있다.

"Hello, this is the AT&T operator from the United States. I have a collect call from Dr. Ha. Will you pay for the call?"

"Hello, this is the United States. I'm the AT&T operator. I have a collect call from Dr. Ha. Will you accept this collect call?"

워졌다. 나는 그곳에서 2~3년 근무한 후 다시 광주 시내의 유엔 민사원조처로 직장을 옮겨 갔다.

유엔 민사원조처에서 1년 정도 근무했을 무렵 나는 미국교육사절단이 통역보좌관을 찾고 있다는 이야기를 들었다. 비교를 해보니 여러 가지로 조건이 좋아 나는 그 자리에 지원했고 곧 합격 통지를 받았다.

그때만 해도 이들과의 만남이 내 인생을 바꾸어 놓으리라고는 상상하지 못했었다. 우리 집에는 지금도 그때 처음 만난 버지니아 믹스볼 교수의 사진이 걸려 있다. 그녀는 이제 이 세상 사람이 아니지만 나는 그녀에게 말로 다 할 수 없는 큰 은혜를 입었다.

내가 버지니아 믹스볼 교수를 만난 것은 그녀가 미국 교육사절단의 일원으로 한국을 방문했을 때였다. 테네시주 네시빌의 피바디 대학 교수 세 명이 주축이 된 미국교육사절단은 약 1년 동안 한국에 머무르며 여러 가지 조사 업무를 실시했다.

그들의 활동은 6. 25 직후 한국에 교육부문의 원조를 하기 위한 사전 조사를 하는 것으로서, 그들은 우리 나라의 각급 학교를 방문하기도 하고 교육관계자들에게 미국의 교육과정을 소개하는 등의 활동을 했다. 나는 이들을 따라다니며 통역도 하고 여러 가지 일을 돕는 과정에서 덤으로 수준 높은 영어를 익힐 수 있는 기회를 얻었다.

당시 내게 부여된 임무 중 하나는 한국 신문에 실린 사설을 영어로 번역하는 작업이었다. 약 1년 동안 거의 매일 이 일을 했는데 이 과정에서 나의 영작문 실력은 놀랄 만큼 발전되었다.

일단 내가 신문 사설을 번역해 놓으면 미국인 교수가 그것을 고쳐 주었는데 이 과정에서 어색한 표현을 고치고 문법도 교정

받았다. 그때야 공부라기보다는 일로서 한 것이었지만 나는 상상 외로 많은 수확을 거둘 수 있었다. 게다가 그것을 고쳐주는 사람은 미국인 교수가 아닌가. 내쪽에서 수업료를 낸다고 해도 그렇게 공부를 할 수 있는 기회가 흔치 않은 형편에서 나는 훌륭한 개인 교습을 받은 셈이었다.

이 일을 반복하면서 나는 점점 더 영어다운 표현에 눈을 뜨게 되었다. 이를테면 조동사 'may'와 'will'을 어떻게 다르게 사용해야 하는가를 이때 깨우쳤다. 그런 사항은 문법책을 아무리 들여다 봐도 외국인으로서, 게다가 독학자로서는 이해하기 어려운 부분이다. 그러나 실제로 번역을 하는 과정에서 미국인에게 그 사용법을 배우니 그 차이가 그렇게 명확할 수가 없었다. 2)

---

2) May: before 12c (may라는 낱말은 12세기 전에 탄생했다.)

May implies permission or sanction.

May는 승인(허가) 또는 시인(찬성)을 의미한다.

Examples : John may borrow my notebook if he wishes.

John은 그가 원한다면 내 노트북을 빌릴 수 있다.

Mary can swim, but her father says that she may not.

Mary는 수영을 할 수(능력)있지만, 그녀의 아버지가 허락하지 않는다.

May expresses possibility and wish. (desire)

(may는 가능성과 소원(기원.요구)을 표시함.

Examples : It may rain tonight. (possibility)

오늘밤에 비가 올지도 모른다.

May you have a good rest this weekend. (desire)

이번 주말에는 푹 쉬시기를. (바라는 것)

I may get my homework done by tomorrow. (possibility)

나는 내일까지는 나의 숙제를 끝낼 수 있을 것입니다. (가능성)

사실 'may'와 'will'의 차이를 문법적으로 설명하는 것은 간단한 일이다. 그러나 실제로 그 차이를 가려서 쓰는 것은 쉬운 일이 아니다. 나는 미국인들이 두 용어를 절묘하게 달리 쓰는 것을 보

Will:before 12c (will도 12세기 전에 탄생했으니 may와 사용연대가 비슷함)

Some careful speakers still observe these principles :

(오늘날에는 shall과 will의 구별이 거의 없고 말하는 사람마다 멋대로 사용하나, 조심성있는 사람들은 여전히 다음과 같이 구별하여 쓰려고 애씀.)

Use shall in the first person and will in the second or third person to express future time.

그저 미래를 표할 때 1인칭에서는 shall, 2.3인칭에서는 will을 쓴다.

Examples : I(We) shall leave soon. "You(He, They) will leave soon."

I(We) shall go. I(We) shall not go. You will(won't) go.

He(She, It, They) will(won't) go.

Use will in the first person and shall in the second and third person to express a promise, command or determination.

(약속, 명령, 결심을 표현할 때는 1인칭에 will, 2.3인칭에는 shall을 쓴다.

Examples : I(We) will go. I will speak,

He(She, It, They)shall go. You shall speak. = You must speak.

Use will (same verb, different meaning) with all personal pronouns to express willingness, promise, or intention.

Examples : I will help you now, you will be a success.

note: Distinctions in the use of shall and will have broken down.

(shall과 will의 용법상의 구별이 부서진 멋진 예가 다음 영국의 처칠 수상

고 매우 신기하게 생각했는데 결국은 나도 그 차이를 터득하게 된 것이다.

이런 경우야말로 단순한 문법 설명의 한계를 잘 드러내주는 사

의 유명한 연설임.)

Example : "We shall fight on the beaches. We shall fight on the landing grounds. We shall fight in the fields and in the streets. We shall fight in the hills; We shall never surrender."(우리들은 해변에서, 우리들은 공항에서, 우리들은 들과 거리에서, 우리들은 언덕에서 싸울 것이다. 우리들은 결코 항복하지 않는다.)-Winston Churchill, an accomplished user of language)

data: (1) The American Telephone and Telegraph Company found that shall occurred six times in six conversations, will 1,305 times in 402 conversations.

(shall과 will의 사용 빈도수를 조사한 결과 will을 402회의 대화에서 1,306번 사용. 많은 미국인들을 상대로 미국 전화, 전신회사가 조사)

(2) Henderson found that will occurred in all persons 93.5% of the time and shall 6.5%.

(Henderson씨가 shall과 will의 용법을 조사했음.)

(3) Schaller found that shall occurred 41% of the time and will 59%. (Schaller씨의 조사)

(4) Winthrop found 101 examples (92.75% of will in its various forms and 8 uses of shall, 7.3%), all in the first person and half of them from the same article.

(Winthrop씨의 조사 결과)

The shall form has persisted in idiomatic expressions.

(관용적 표현에서는 shall이 끈질긴 힘을 완전히 발휘하고 있음)

Examples : Shall we dance? (more commonplace)

례라고 생각한다. 아무리 문법을 정확하게 알아도 제대로 쓸 줄 모르면 공부도 헛수고다. 그리고 이런 미묘한 차이야말로 구체적인 상황 속에서만 체득이 가능한 언어의 독특한 부분이다.

'take advantage of(이용하다)' 라는 숙어의 용법도 사실은 그때 익혔다. 언젠가 내가 한국인 교장선생님들과 미국 교육사절단 사이에서 통역을 하고 있다가 새로 외워둔 표현을 한 번 써볼 요량으로 이 숙어를 이용했다.

당시 그 자리에 모인 교장들은 학교건물을 이용해서 뭔가 해보고 싶다는 이야기를 하고 있었다. 내가 그들의 말을 통역할 때 'take advantage of' 란 표현을 썼더니 나와 동행했던 미국인들이 깜짝 놀라는 것같았다.

나는 그들이 왜 놀라는지 의아해하고 있다가 나중에야 설명을 들었다. 그날 모임을 마치고 돌아오는 길에 교육사절단 중의 한 교수가 "그런 표현에는 뭔가 부정적인 의미가 들어가 있다. 단순히 이용하는 경우라면 'use' 를 쓰는 편이 낫다."고 말해주었던 것이다. 3)

Shall we go? (more commonplace)

(하지만, 한가지 흥미로운 사실은 shall과 will의 구별이 산산히 부서져 가는 지경에서도 다음 '관용적인 표현'에서만은 미국인들은 악착스레 shall을 고수하고 있음)

Will we dance? (어색함)

Will we go? (어색함)

(아직까지도 will의 사용은 너무 어색해서 이때만은 사용하지 않음.)

고문단 여교수 믹스볼의 눈에 띄어

미국교육사절단의 일원 중 버지니아 로빈슨 교수와 믹스볼 교수가 특히 나와 자주 일을 했다. 당시 두 사람은 모두 미혼으로 이들은 한국에서 1년 정도 활동하다 돌아간 후 결혼을 해 부부가 되었다. 내가 지금도 은인으로 생각하고 있는 버지니아 믹스볼 교수는 그러니까 당시의 버지니아 로빈슨 교수를 말하는 것이다.

버거 믹스볼 씨는 당시 미국 뉴저지주의 그라스보로 스테이트 칼리지(최근에는 로원 칼리지 오브 뉴저지로 명칭이 바뀜)의 심리학 교수였고, 버지니아 로빈슨 씨는 국민학교 교사 출신으로 당시에는 장학관이었다.

그들은 한국에 머무르는 동안 내게 미국에 가서 공부를 계속해 볼 생각이 없느냐고 여러 차례 내 의사를 물어보고 또 그렇게 할 것을 권유하기도 했다.

그러나 그들은 구체적으로 어떻게 하는 것이 좋겠다거나 하는

---

3) Use our school buildings when you are ready to display your science projects.

(여러분의 과학 전시물들이 준비될 때는 우리 학교 건물을 사용하십시오)

Take advantage of our school buildings when you are ready to display your science projects.

(use대신 "take advantage of"를 사용하면 문장구성이나 문법에는 완전히 맞지만, 단순히 학교건물을 빌려 쓰는 순수한 뜻이 아니라 학교건물을 기화로 하여 좋지 않은 '동기'로 어떤 '이득'을 꾀해 사용하려는 부정적인 의미가 있으므로 옳지 않음.)

이야기는 하지 않은 채 미국으로 돌아가 버렸다. 미국교육사절단이 돌아간 후 나는 새로운 직장을 구해야 했다.

역시 그전에 했던 통역일이 인연이 되어 나는 광주고등학교의 영어교사로 특채되는 행운을 얻었다. 광주고등학교의 영어교사로 일하던 무렵의 일이다. 어느날 나는 미국에서 날아온 한 통의 편지를 받았다. 이제는 믹스볼 교수의 부인이 된 버지니아 로빈슨 씨에게서 온 편지였다.

그녀는 그 편지에서 내게 미국에서 공부할 것을 적극 권유하고 있었다. 마다할 이유가 없었다. 아니 그것은 바로 내가 바라던 바였다. 그러나 문제가 남아 있었다. 나의 영어실력이야 누구나 다 인정해주는 훌륭한 수준이었다고 해도 고졸 학력이었으므로 당시 기준으로는 유학이 불가능했던 것이다.

나는 여유를 갖고 천천히 준비를 하자고 마음먹고 일단 조선대학 법과대학에 들어갔다. 그리고 2년 동안 미국유학에 필요한 자격요건을 갖추기 위한 준비과정으로서 대학을 다녔다.

그리고 그 시기에 나는 버지니아 로빈슨 씨가 유방암에 걸려 투병중이라는 안타까운 소식을 들었다. 나는 그녀의 쾌유를 빌며 여러 차례 격려의 편지를 보냈다. 그러나 그녀는 결국 내가 미국에 가기도 전에 세상을 떠나고 말았다.

그녀는 세상을 떠나면서 남편 믹스볼 교수에게 자기가 없더라도 나를 미국으로 데려와 공부를 할 수 있게 해달라는 부탁을 했다고 한다. 그것은 그녀의 유언이나 마찬가지였으므로 남편 믹스볼 교수는 내게 예정대로 모든 일을 진행하라고 격려하는 것을 잊지 않았다.

믹스볼 교수는 아내의 죽음으로 인해 고통을 받으면서도 아내와의 약속을 지키기 위해 나의 미국행을 적극적으로 지원해주었다. 믹스볼 교수는 부인을 추모하기 위한 장학재단도 만들었다. 그리고 내가 그 장학금의 첫 수혜자가 될 수 있도록 도움을 아끼지 않았다.

고교 영어교사로 특채되고

내가 광주고등학교 교사로 일하게 된 것은 당시 광주고등학교 교장이었던 장준한 선생님 덕이었다. 영어실력만 가지고 본다면 내가 고등학교 영어교사가 되지 말란 법은 없었겠지만 당시의 나는 고졸 학력이었으므로 자격기준상 정식으로 교사가 된다는 것은 불가능한 형편이었다.

그러나 내가 미국교육사절단의 통역보좌관으로 일하던 시절 자주 만났던 장준한 교장선생님과의 인연이 나를 광주고등학교로 이끌었다. 장교장은 내가 통역보좌관으로 일하던 시절부터 나의 영어실력을 높이 평가해서 그 실력을 학생들을 가르치는 데 써야 한다고 자주 권했었다.

미국교육사절단이 본국으로 돌아가게 되었다는 소식을 들은 장준한 교장은 그들이 돌아가면 그때부터는 광주고등학교에서 영어를 가르치는 것이 어떻겠느냐고 본격적으로 권유해 왔다.

나로서는 그간 갈고 닦은 영어실력으로 학생들을 가르칠 수 있다는 것만으로도 큰 보람이라고 생각했다. 그래서 주저하지 않고 광주고등학교로 갔다.

그러나 내가 고등학교 영어교사가 되기 위해 거쳐야 했던 절차는 꽤 복잡했다. 나의 경력이 자격요건에 맞지 않아 무언가 복잡한 과정을 거쳐야 했던 모양이다. 그러나 장 교장선생님의 헌신적인 노력에 힘입어 나는 특채 형식으로 광주고등학교에서 일하게 되었다. 고졸 학력으로 말이다.

광주고등학교에서 영어를 가르치던 시절에도 영어교육에 대한 나의 생각은 지금과 크게 다르지 않았다. 특히 그 당시에는 아무도 주의를 기울이지 않았던, 영어로 말하기의 문제라든지 발음에 대해서도 나는 많은 주의를 기울였다.

당시 제자들 중에는 내가 가르친 영어공부 방법에 영향을 받았음인지 지금 유명한 대학의 영어학 분야에서 꽤 중요한 역할을 하고 있는 제자들도 있다.

그 당시 학생들이 나의 독특한 영어수업 방식을 어떻게 받아들였는지는 잘 알 수 없지만 나는 영어로 수업을 진행하려고 애를 썼다. 수업시간에는 영어와 우리말을 번갈아 사용하면서 두 개의 언어가 동시에 사용되는 현장을 만들어 나갔던 것이다.

물론 다른 영어교사들의 수업은 대부분 문법 위주의 입시교육이었다. 문법에 관한 이야기 아니면 번역이 주를 이루는 수업내용이었다. 1형식이니, 2형식이니 하는 일본인들이 만든 영어패턴 분류 방식도 자주 이야기되던 시절이었다.

아마 당시 교사들 중에도 그러한 수업 방식을 탈피해보려는 생각을 가진 사람들이 있었을 것이다. 그러나 그들의 교육배경으로 볼 때 그들이 하고 싶었다 해도 새로운 방식의 영어교육은 사실상 불가능했을 것이다. 또 당시만 해도 그 필요성을 그렇게 절실히 느끼지 못하고 있었을 때였다.

나는 영어회화 클럽을 만들어서 매주 한 번씩 관심있는 학생들을 모아 특별지도를 하기도 했다. 그리고 당시 고등학교에 흔치 않던 영자신문을 만들었던 것도 잊을 수 없는 일 중의 하나이다. '광고(光高)타임즈'라는 이름으로 발행됐던 영자신문은 학생들에게 영어로 자신의 생각을 표현해보는 연습을 할 수 있는 소중한 기회를 제공해주었다.

그 당시 광주에는 영자신문을 인쇄할 수 있는 시설이 없어, 나는 자주 서울 출장을 다녀야 했다. 출장이라는 것이 거의 없는 교사 생활에서 가끔씩이라도 바깥 바람을 쐴 수 있다는 것은 아주 유쾌한 일이었다. 게다가 내가 좋아하는 일을 하기 위해서였으므로 나는 신바람이 나서 그 일을 하곤 했었다.

또 한 가지 잊을 수 없는 일은 내 제자 중 한 명이 영어 웅변대회에 나가 입상을 한 일이었다. 외국에서 열리는 세계적십자회의에 파견할 학생대표를 선발하기 위해 열렸던 그 영어 웅변대회에서 내가 연습시킨 학생이 우승했을 때 그 기쁨은 말할 수 없이 컸다. 마치 내가 상을 받기라도 한 것처럼 흐뭇했고 내 교육방식이 인정을 받는 것같아 자랑스럽기까지 했다.

영어공부하려고 성당에 나가

나는 교사생활을 하면서도 나름대로 영어공부를 게을리하지 않았다. 열심히 하기는 했지만 그 대부분의 과정이 독학이나 다름없었으므로 혼자서 이런저런 궁리를 하면서 여러 가지 방식을 시도해보는 것이 나의 영어공부의 전부였다. 그 과정에서 나의 영어교사가 되어줄 사람도 늘 스스로 구하곤 했다.

내 영어공부의 길잡이가 되어 주었던 사람은 여럿 있었지만 그 중에서도 잊을 수 없는 사람이 마틴 수녀님이었다. 광주고등학교에서 영어교사로 일하던 시절, 나는 엘리자베스 시튼 힐 수녀회에서 미국인 수녀들에게 한국어를 가르치는 일도 했었다.

미국인 수녀들에게 한국어를 가르치다보니 나도 영어로 이야기할 기회가 많아 자연스럽게 그들로부터 영어도 배울 수 있었다. 그때 내게 부여된 또 하나의 임무는 이들의 통역이 돼주는 것이었다.

당시 엘리자베스 시튼 힐 수녀회는 목포에 가톨릭계 학교를 설립할 계획을 갖고 있었다. 그들은 미국에서 모금한 돈을 가지고 한국에서 교육사업을 해볼 생각이었다. 그러나 일은 생각만큼 잘 풀려 나가지 않았다.

자금 형편은 괜찮았으나 이상하게도 지역주민들이 땅을 내놓으려 하지 않아 학교 설립은 요원한 일이 되고 말았다. 어쨌든 나는 수녀님들을 돕기 위해 필요한 곳이라면 어디든 마다 않고 따라가 통역을 했는데 이 역할이 내게는 지속적인 실전 영어공부를 가능케 해주었다.

내가 자주 동행했던 사람은 마틴 수녀님이었다. 나는 마틴 수녀님에게 내가 통역을 하는 과정에서 이상한 용어나 표현을 쓰는 경우가 있거든 지체하지 말고 꼭 지적을 해달라고 단단히 부탁을 해두었다.

그러나 나의 영어가 그럭저럭 알아들을 만했는지 수녀님의 마음이 넓어 웬만한 것은 그냥 넘어갔는지 교정을 해주는 일은 거의 없었다. 유일하게 지적 받은 것으로 지금도 생각나는 것 한 가지는 '받다'는 뜻의 'receive'라는 단어의 발음이다.

마틴 수녀님은 내게 "그 단어를 알아듣는 데 큰 지장은 없지만 이 단어의 [s]발음이 [sʃ]로 들린다." 면서 여러 차례 반복하여 연습을 하게 했다. 마틴 수녀님은 그 발음이 한국인들이 자주 틀리는 발음이라는 것을 지적하는 것도 잊지 않았다. 4)

마틴 수녀님과 함께 일을 한 기간은 약 2년 정도였는데 그 과정에서 나는 다시 한 번 영어를 집중적으로 배울 수 있었다. 수녀님이 영어로 공문서를 작성할 때는 늘 작업을 함께 했기 때문이다.

아일랜드 출신인 브랜든 신부님도 나의 영어교사 중 한 사람이었다. 브랜든 신부님은 아일랜드 영어와 미국 영어의 차이점까지 설명해주는 친절을 보여주었는데 그 덕에 나는 영어에 대한 안목을 넓히는 기회까지 갖게 되었다.

예를 들어 미국에서는 해가 떠 있을 때까지는 "Good afternoon."이라고 인사를 하는 반면 아일랜드에서는 오후 두시까지만 "Good afternoon." 이라 하고 그 이후부터는 "Good evening."

---

4) receive의 발음 :

미국의 가장 권위가 있는 사전에는 (ri-sēv)라고 발음기호가 적혀 있으며, 이 's'소리는 'source'할 때 s와 ce에서 모두 같은 소리로 나며, '철자상' 으로는 c,s,z,ps,sc,ss,st,ts,tz,sch,sth 등 여러 spelling으로 나타나지만 소리들은 모두 's'소리이다. 영어를 모국어로 사용하는 사람들은 (구강조직에 결함이 있는 것을 제외하고는) 영어의 's'소리를 그대로 발음하지만 한국인들이나 일본이라고 한다는 것이다.

브랜든 신부님의 영어에는 독특한 아일랜드식 액센트가 있었는데 내가 그 말을 알아듣는 데는 큰 지장이 없었다. 오히려 다양한 영어에 접할 수 있다는 사실이 즐거웠다.

나는 광주고등학교에서 영어수업을 하면서 느끼는 문제점에 대해 신부님과 상의를 하기도 하고 내가 출제한 영어시험 문제를 신부님께 보여드리고 평을 듣기도 했다.

영어실력 향상을 위해서는 영어가 모국어인 사람과 직접 접촉하는 것 이상의 지름길은 없다고 생각한다. 요즘이야 돈만 내면 어디서든 미국인에게 영어를 배울 수 있고 외국인을 만나는 것 자체가 그리 어려운 일이 아니므로 상황이 훨씬 나아진 셈이지만 당시만 해도 외국인에게서 직접 영어를 배운다는 것은 흔치 않은 일이었으므로 나는 최선을 다해 그 기회를 활용했다.

사람들은 한국어의 사, 샤…, 일본어의 サ, シ…의 소리를 내기 때문에 's'소리와는 다른 소리가 남. 음성학상으로는 마찰음의 일종이라고 하며, 입의 통로를 통해 그 소리의 공기가 통과할 때 그 통로가 심히 좁기 때문에 거침의 현상이 생기며, 그 공기의 분자들이 서로 부딪쳐 나는 소리가 바로 's'소리이다. 's'소리를 내는 비결은 혀의 끝을 아랫 이들의 뒤에 밀착시키면서 내는 것이다. 직접 입 속을 들여다 보면서 지도하지 않으면 거의 불가능함을 어찌 하랴! 한국대학의 음성학 교수들도 이런 이론상의 이야기를 하는 데는 둘째 가라면 서러울 정도로 권위자들이지만, 문제는 그 's'소리를 생산할 수 있느냐가 문제이다. 때문에 지상을 통해 발음학습을 설명한다는 것은 이론과 친구삼아 놀이를 즐겨보는 것 이외는 거의 얻는 것이 없다. 한국내 어떤 영어학자가 '제3국인의 영어발음은 원음인과 달리 나는 것이 당연하므로 너무 신경쓸 일이 아니다.' 고 쓴 글을 본 일이 있다. 한마디로 그렇지 않다.한국사람들의 발음상의 어려움을 이야기하기에는 한두 페이지로는 당치 않기 때문에 한 권의 책으로 나중에 발음에 관해 출판을 하기로 하자.

어떻게 그렇게 영어를 잘합니까

내가 미국땅을 처음 밟은 것은 1966년 8월이었다. 나는 그저 미국으로 가기 위한 준비에만 열심히 매달렸을 뿐 학비나 생활비 등은 나를 초청한 믹스볼 교수에게 모두 맡겨두고 있었다. 비행기 표도 버거 믹스볼 교수가 자비로 사서 보내준 것이었다.

몇 년에 걸친 지루한 준비끝에 마침내 나는 김포공항에서 노스웨스트 오리엔트 항공 편으로 서울을 떠났다. 미국 유학 수속을 하느라고 꼬박 5개월을 시달릴 대로 시달렸기 때문에 떠나게 되었다는 사실이 실감나지 않을 정도였다.

당시만 해도 미국에 가는 수속이 워낙 복잡하고 까다로워서 새 구두를 하나 사 신고 수속을 시작하면 그 구두가 낡아서 다 떨어질 때쯤 돼서야 비행기를 타게 된다는 우스개가 있었는데 실제로 해보니 그 말이 과장이 아니었다.

김포공항에서 노스웨스트 오리엔트의 프로펠러 비행기를 타던 날은 날씨가 아주 더웠다. 나는 스포츠형으로 머리를 짧게 자르고 짐도 별로 없이 비행기에 올랐다. 아내와 아이들을 한국에 남겨두고 떠나야 하는 내 심정이 오죽했겠는가.

마음으로야 5년 안에 박사학위를 마치겠다는 계획이었지만 언제 가족들을 다시 볼 수 있을지도 알 수 없는 상태였다. 그 안에 가족들을 미국으로 데려갈 수 있을지 아니면 그 후가 될는지….

그래도 아내와 나는 다부지게 마음을 먹고 이왕 떠나는 것이니 잘해야 한다고 서로를 격려했다. 오랫동안 가족과 떨어져 지내야 한다는 부담감, 그리고 미지의 세계에 대한 설렘으로 나의 마음은 어수선하기만 했다.

서울을 떠난 비행기는 도쿄와 시카고를 거쳐 필라델피아 공항으로 갔다. 비행기 안에서도 막막한 기분은 사라지지 않았다. 잠이 들었다, 깨었다 반복하며 나는 꼬박 하루를 비행기 안에서 보냈다. 길고 긴 여행이었다.

미국으로 가는 길은 왜 그렇게 멀기만 한지…. 내가 체감한 시간은 실제의 시간과는 비교할 수 없을 만큼 길고 길었다.

필라델피아 공항에 도착한 것은 다음날 밤 10시가 넘어서였다. 후덥지근한 날씨였는데, 공항에서 나를 반겨준 사람은 이제는 이 세상 사람이 아닌 버지니아 로빈슨 씨의 남편, 그러니까 믹스볼 교수였다. 그는 그의 친구와 함께 마중나와 있었다.

그는 당시 50세가 조금 넘었을 뿐이었는데도 내 눈에는 웬지 아주 노인으로 보였다. '못보는 사이에 꽤나 늙어 버렸구나. 부인의 죽음 때문일까'. 나는 속으로 이렇게 중얼거리면서 그와 반가운 인사를 나눴다.

믹스볼 교수의 친구가 운전하는 차를 타고 믹스볼 교수의 집으로 향하면서 우리는 그간 나누지 못했던 이야기를 쏟아내며 회포를 풀었다. 무슨 이야기를 그렇게 많이 했었는지 지금은 다 잊어버렸지만 믹스볼 교수를 만나면서부터 나는 서서히 안도감을 되찾고 있었다. 그래도 긴 비행기 여행의 피로와 낯선 나라에 혼자 떨어졌다는 막막함 때문인지 나에게는 모든 게 그저 어리둥절하기만 했다.

필라델피아 공항에 친구와 함께 나를 마중나온 믹스볼 교수를 보고 있으려니 그제야 버지니아 믹스볼 교수의 부재가 새삼스럽게 나의 마음을 아프게 했다. 믹스볼 교수 부부가 한국을 다녀간지 11년만에 가까스로 미국에 도착했는데 버지니아 로빈슨을 만날 수 없다니….

내게 새로운 인생을 열어준 버지니아 로빈슨을 더 이상 볼 수 없다는 사실에 나는 가슴이 미어지는 것같았다.

이렇게 해서 나의 미국 유학생활이 시작됐다. 비행기값에서 학비와 생활비까지 돈이라고는 한푼도 들이지 않고서 공부를 시작할 수 있었다는 것은 정말이지 커다란 행운이었다.

그러나 처음 몇 달 동안은 낯선 세계에서 느끼는 외로움과 싸워야 하는 것이 큰 고통이었다. 물 설고 낯선 외국땅에서 홀로 살아가야 하는 나는 서울에 두고 온 아내와 아이들이 너무나 보고 싶었다.

거의 매일 저녁이 되면 닥쳐오는 외로움과 싸워야 하는 일도 상상할 수 없을 만큼 고통스러웠다. 그럴 때마다 나는 아내가 보내준 녹음 테이프를 통해 아내의 목소리를 듣고 기운을 내곤 했다.

아내는 늘 내게 '이왕 굳은 결심으로 그곳까지 갔으니 성공해야 하지 않겠느냐. 용기를 잃지 말고 열심히 공부하라.' 고 격려해주었다. 그 녹음 테이프는 내가 그곳에서 유일하게 들을 수 있는 한국말이었다.

그런 가운데도 생활은 평화롭기 그지 없었다. 아내의 죽음으로 혼자 된 믹스볼 교수와 아내를 서울에 두고 온 나. 두 홀아비는 서로 의지해가며 평온한 하루하루를 꾸려나갔다.

내가 할 일은 공부뿐이었다. 믹스볼 교수는 손수 운전해 나를 학교에 데려다주고 수업이 끝날 즈음이면 또 나를 데리러 왔다. 식사도 모두 그가 알아서 준비하곤 했다. 그의 요리 솜씨는 꽤 훌륭한 것이었는데도 그는 늘 나에게 미안해 했다. "네가 고향음식이 먹고 싶을 텐데 내가 동양 음식을 하지 못해 미안하다."는 것이었다.

그는 내게 가끔 이런 말도 했다.

"그래도 너는 정말 행운아다. 내가 공부하던 시절에는 돈이 없어 고생도 많이 했거든. 남의 집 정원의 잔디도 깎아주고…. 이런 저런 일을 하면서 공부해야 하는 것이 얼마나 어려웠던지. 어쨌든 너는 운이 아주 좋은 사람이야."

믹스볼 교수는 가끔 내게 쌀밥을 지어주기도 했다. 그러나 그도 나도 밥을 할 줄 몰라 언제나 생쌀에 가까운 설익은 밥을 먹으며 향수를 달래야 했다. 그래도 불평을 할 수는 없었다. 미국에 와서 이렇게 편하게 공부할 수 있다는 것만 해도 얼마나 굉장한 행운인가, 나는 그런 생각을 하며 스스로를 위로하곤 했다.

믹스볼 교수는 나의 보호자 역할을 톡톡히 했지만, 영어회화 선생으로도 만점이었다. 외로운 두 사람이 도란도란 이야기를 나누다 보니 영어실력도 눈에 띄게 세련되어갔다. 한마디로 영어에 완전 몰입한 상태였다.

내가 미국에 가서 처음으로 한국 사람을 대한 것은 미국생활이 약 1년 반쯤 지났을 무렵이었다. 한국인 최초의 피바디 대학 졸업생인 서명원(徐明源) 박사가 나와 함께 살고 있던 믹스볼 교수를 방문했던 것이다. 훗날 문교부장관을 지낸 서박사는 바로 믹스볼 교수의 대학 동창이기도 했다.

서박사를 만나서 나는 1년 반만에 처음으로 한국말을 해보았다. 너무 오랜만이라 이상한 말이 튀어나오려고 했다. 그때 우리 집에 머무르고 있던 서박사는 어느날 우연히 내가 미국인 친구와 전화를 하는 것을 듣더니 "아니 영어를 어떻게 그렇게 잘합니까?"라며 깜짝 놀라 나를 우쭐하게 했다. 겉으로야 '뭐 그렇지도 않다.'고 겸손해 했지만 속으로는 '서박사가 놀라는 것을 보니 미국에 와서 고생한 보람이 있구나.' 하는 생각이 들었다.

나는 뉴저지 주립대학 영어과 석사과정에 입학하여 공부에 몰두한 결과, 1년만에 석사학위를 딸 수 있었다. 악착같이 공부하긴 했지만 주변 사람들이 모두 놀라워 했다. 아마도 내가 석사학위를 그렇게 빨리 마칠 수 있었던 것은 공부 외에는 달리 할 일이 없는 최적의(?) 조건에 있었기 때문인지도 모른다.

석사학위를 무사히 마쳤다는 것은 내게 큰 위안이 되었다. 미국 유학의 첫 관문을 무사히 마치고 나니 앞일에 대한 희망이 생기면서 자신감을 갖게 되었다.

석사 논문은 '교실학습이 사회에서의 언어발달에 기여하는 효과'라는 제목으로 썼는데 이 논문의 주제는 학교에서 학습한 언어가 그 사람이 학교를 졸업한 후에 사회생활을 하는 과정에서 어떤 영향을 끼치는가 하는 것이었다. 즉 학교 다닐 때 영어성적이 좋았던 사람이 사회에 나가서도 역시 우수한가, 아니면 별 관계가 없는가 하는 것이었다.

이 논문을 위해서 약 2백50명을 대상으로 설문조사를 했는데 대상자들은 주로 커뮤니케이션 회사라든가 회사 안에서도 문서 작성업무를 주로 맡은 사람들을 선정했다. 즉 사회에서 우수한 언어능력을 발휘하고 있는 사람들을 대상으로 정했다.

그리고 그들에게 학교 다닐 때의 영어성적을 질문했다. 또 학교 다닐 때 영어공부하는 것이 재미있었다고 생각했는가를 물었다.

결론은 예상했던 대로 역시 학교에 다닐 때 영어과목에 취미를 느끼고 공부를 잘했던 사람들이 사회에 나가서도 훌륭한 언어실력이 요구되는 분야에서 일하고 있으며 그 성과도 좋다는 것이었다.

이 과정에서 영어공부에 취미를 붙이게 해준 사람이 누구였는지도 조사했는데 대부분 교사의 영향을 가장 많이 받은 것으로 나타났다. 외국어든 모국어든 언어를 재미있게 배우고 또 제대로 배우기 위해서는 역시 교사가 가장 중요한 역할을 하는 것이다.

나는 한국에서 영어교육 문제를 생각할 때도 교사의 자질이나 이들을 훈련하는 문제에 더 많은 관심을 기울여야 한다고 생각한다. 좋은 교과서를 만드는 일도 중요하고, 더 일찍 영어를 배우기 시작하는 것도 중요하고, 더 긴 시간을 공부하는 것도 중요하지만 역시 가장 중요한 것은 교사를 선발하고 훈련하는 문제이다.

언어를 가르치는 과정에서 어떤 교사가 담당하느냐 하는 것이 가장 중요하다. 그 외의 것은 부차적인 문제이고, 훌륭한 교사를 키워낼 수 있다면 다른 문제들은 학생 자신들이 극복할 수 있는 부분이 많기 때문이다.

영어 정복해도 김치는 못잊어

믹스볼 교수의 세심한 배려 속에 시작한 유학생활이었지만 시간이 흐를수록 가족과 한국 음식에 대한 향수가 솟아나는 것은 어쩔 수 없었다. 믹스볼 교수가 가끔씩 만들어주는 설익은 쌀밥을 먹을 때마다 나는 뜸이 잘 들은, 김이 모락모락 나는 따뜻한 밥, 아내가 차려준 밥상에 대한 그리움에 늘 목이 메곤 했다.

유학 초기에야 미국 생활에 적응하기에도 바빠 외롭기는 해도 다른 생각을 할 여유가 없었지만 1년 정도 시간이 흐른 후에는 점점 더 견디기가 어려워졌다.

그러던 중 우연히 필라델피아 시에 한인교회가 있다는 소식을 들었다. 지금이야 미국 어느 주에 가도 한국 교포들이 많이 살고 있고, 한국 음식점을 찾는 것도 어려운 일이 아니지만 그때는 달랐다. 필라델피아 전 지역의 한국 교민을 다 합해도 몇백 명 수준일 때였다.

나는 폐를 끼치는 일인 줄을 알면서도 믹스볼 교수에게 어렵게 말을 꺼냈다. 내 차가 없었던 시절이니 가까운 곳에 갈 때도 믹스볼 교수의 신세를 져야 했기 때문이다.

믹스볼 교수는 선뜻 나와 동행해주었다. 필라델피아시 체스터가 53번지라는 주소만 가지고 물어물어 찾아갔는데 우리가 그 교회를 찾았을 때는 이미 예배가 끝난 후였다.

나는 예배에는 참석하지 못했지만 교회 앞마당에 한국인들이 모여 이야기하는 모습을 보고 한국인을 만날 수 있는 기회를 놓치지 않았다는 사실에 안도하며 그들에게 다가갔다. 한국 사람들의 모습을 볼 수 있다는 것만으로도 반갑고 고마워서 그간의 외로움이 싹 가시는 기분이었다.

그 중 내 또래의 젊은이가 있기에 무턱대고 다가가 인사를 나눴는데 공교롭게도 그의 고향이 나와 같은 지역이어서 우리는 더 쉽게 친구가 될 수 있었다.

그 다음 주부터는 주말만 되면 그 한인교회를 찾아갔다. 그곳에서 고향 친구를 만나면 마주앉아 고향 이야기며, 미국 생활의 고달픔을 함께 나누면서 향수를 달래곤 했다.

그해 크리스마스 무렵이었을 것이다. 한인교회에서 큰 잔치가 있다는 소식을 들었다. 그 친구도 총각이었고, 나도 더 나을 것이 없는 처지여서 맛있는 한국음식을 듬뿍 먹을 수 있다는 그날을 손꼽아가며 어린아이처럼 기다렸다.

크리스마스 날 교회를 찾아가보니 소문대로 잔치는 굉장했다. 불고기에 김치 등 1년 넘게 구경도 못했던 한국음식들이 푸짐하게 차려져 있었다. 나는 염치 불구하고 음식을 먹어대기 시작했다. 마치 지난 1년 동안 먹지 못한 것을 한꺼번에 먹기라도 하듯 맛있게 음식을 먹었다.

모임이 끝날 무렵 그 교회의 한 아주머니가 음식이 많이 남았으니 싸가지고 가라고 권했다. 아마도 허겁지겁 먹어대는 우리의 모습이 안쓰러워 보였나 보다. 우리는 실컷 먹고도 욕심이 나서 음식을 한 보따리씩 싸들고 그 친구의 집으로 갔다.

두 사람 다 얼마나 김치를 그리워하고 살았는지 그의 집에 도착하자마자 또 다시 김치가 먹고 싶어졌다. 그러나 밥이 없었다. 우리는 그러면 어떠냐면서 빵을 꺼내어 김치와함께 또 열심히 먹었다.

그렇게 먹었는데도 김치가 남았다. 그 친구는 내게 앞으로 한동안은 다시 김치 먹을 일이 없을 테니 싸가지고 가서 먹으라고 했다. 그러나 김치 냄새가 워낙 심해서 차마 김치를 싸들고 버스를 탈 용기가 나지 않았다. 게다가 믹스볼 교수가 김치 냄새를 싫어하는 것을 알고 있었기 때문에 더더욱 망설이지 않을 수 없었다.

김치를 보면서 망설이는 내 모습을 보고 그 친구는 웃으면서 자신이 다 알아서 해줄 테니 걱정말라고 했다. 그러더니 앉아서 김치를 포장하기 시작했다. 얼마나 여러 겹으로 단단하게 포장을 했는지 조그만 김치 덩어리가 커다란 보따리만큼 커졌다.

그리고 나서 그는 그 종이 봉투가 축축해질 정도로 향수를 뿌려댔다. 나는 그 향수 냄새가 진동하는 김치 보따리를 안고 버스 정류장으로 갔다. 철저히 쌌다고는 하지만 혹시 이상한 냄새를 풍기지나 않을까 노심초사하며 겨우 집에 도착했다.

집에 도착하니 걱정은 더 커졌다. 어떻게 믹스볼 교수에게 들키지 않고 김치를 먹을 수 있을까. 나는 냉장고 한구석에 김치 보따리를 넣어두었다. 그 이상한 뭉치를 발견한 믹스볼 교수가 내게 물었다.

"이상하다. 냉장고에 있는 저 뭉치가 뭐지?"

나는 깜짝 놀라서 '먹을 것'이라고 얼버무렸다.

믹스볼 교수는 가끔 한국에 있을 때의 이야기를 하면서 "김치 냄새가 굉장히 거북하더라. 김치가 있는 곳에서 2마일 떨어진 곳까지도 그 냄새가 나더라."고 몇 번이나 말한 일이 있었다.

그것을 기억하고 있는 나는 갑자기 안절부절 못하고 있다가 결국에는 냉장고 속의 김치를 꺼내어 지하 창고 깊숙이 감추어 두었다. 그리고는 혼자서 몰래 지하실로 내려가 김치를 꺼내 먹고 대여섯 번씩 양치질 하기를 반복했다. 그러나 결국 그 김치를 다 먹지도 못하고 버리고 말았다.

지금 생각하면 우습기 짝이 없는 일이지만 그때로서는 정말 눈물나는 일이 아닐 수 없었다. 나는 지금도 교포들을 만나면 그때 이야기를 하곤 한다. 미국에 사는 한국 사람이라면 누구나 다 한 번쯤은 겪었을 일이니까.

유학 2년만에 중학교 영어교사가 되다

석사 과정이 거의 끝나갈 무렵이 되자 어느 정도 마음의 여유가 생겼다. 미국생활에도 꽤 적응하여 말이나 생활에서 별 불편을 느끼지 못할 정도가 되었다. 그러자 이제는 어떻게 해서든 가족들을 미국으로 데려와야겠다는 생각이 들었다. 그러나 아무리 궁리를 해보아도 유학생 신분으로는 어림없는 일이었다.

나는 혹시나 하는 기대에서 이민국에 전화를 걸어 문의를 했다. 담당자의 반응은 내게 희망을 갖게 하기에 충분했다. 유학생 신분으로 가족들을 미국으로 데려오는 것은 불가능하지만 정식으로 석사학위를 받은 후에 교사직을 얻는다면 가족들을 데려올 수 있다는 것이었다.

나는 뛸 듯이 기뻐서 그 방법으로 가족들을 미국으로 데려와야겠다고 마음 먹었다. 원래는 5년을 계획하고 미국에 왔지만, 박사과정이 좀 늦어지더라도 식구들을 만나는 일이 우선이라고 생각하게 된 것이다.

나는 믹스볼 교수를 찾아가 조심스럽게 내 생각을 털어놓았다. 그는 충분히 가능성이 있는 일이니 걱정하지 말라면서 내게 용기를 북돋아주었다. 그리고 먼저 대학 내에 있는 직업 상담소에 신청을 하고 기다려보는 것이 좋겠다고 충고를 해주었다.

예상 밖으로 기회가 빨리 왔다. 어느 국민학교에 영어와 사회 과목을 가르칠 교사 자리가 났는데 한 번 지원해보지 않겠느냐는 권유를 받은 것이다. 문제는 그 자리가 미국인이어야만 가능하다는 것이었다.

이번에는 지도 교수와 상의를 했더니 가능성이 있으니 한 번 시도를 해보라고 권했다. 나는 용기를 내어 서류를 만들어 신청을 했다. 놀랍게도 며칠 후 그 학교에서 인터뷰를 하러 오라는 통지를 보내왔다. 서류심사에 합격을 했다는 것이었다.

믹스볼 교수는 나를 위해 기꺼이 면접시험에 함께 가주겠다고 했다. 내가 일하게 될지도 모르는 그리니치 타운십 공립학교는 1백년도 더 된 오랜 역사를 자랑하는 학교였다. 그러나 동양인이 교사직에 응모한 것은 그때가 처음이라고 했다.

인터뷰는 일과가 모두 끝난 저녁 때 이루어졌다. 교육감을 비롯하여 교육위원회 위원들과 자리를 함께 했다. 그들은 내가 외국인이라는 점을 고려해서인지 학급을 어떻게 이끌어갈 것인가에 대한 질문을 많이 했다. 나는 한국에서의 교사 경험과 대학에서 배운 이론을 섞어 열심히 대답했다.

지금도 기억이 나는 몇 가지 질문이 있다. 그들은 내게 "아이들이 공부하기 싫어할 때는 어떻게 하겠느냐?"(How can you do when your children are not interested in studing?)고 물었다. 나는 "내 지도방법은 어디까지나 민주적인 원칙을 따르는 것이다. 아이들에게 강요를 하지 않고 그들의 의견을 충분히 고려하고 존중하여 내 생각과 조정을 한 뒤 결론을 찾아가는 방법을 모색하겠다."고 했다.

또 한 가지 질문은 내가 외국인이니까 미국아이들이 자기 사회에서는 배울 수 없는 점을 특별히 가르쳐줄 수 있다고 생각하느냐, 만일 있다면 그것이 무엇이냐는 것이었다. 나는 미국아이들에게 동양사회의 미덕인 연장자를 존경하는 태도를 가르쳐 보겠다고 했다.

"누구나 다 나이가 들게 마련이다. 미국의 어린이들도 다 나중에는 성인이 되고 노인이 될테니 연장자의 체험과 삶을 존중해주는 것이 자연스럽다는 것을 인식시키겠다."

그 자리에 있던 교육위원들은 이 대답에 상당히 만족해 하는 눈치였다. 그 지역이 동양인을 만나기 힘든 곳이기는 했지만 아시아의 예절이라든지 동양적인 도덕관념에 대한 이야기는 그들도 어렴풋이 알고 있었으므로 나의 배경을 호의적으로 보아준 것이다.

섣불리 예단할 일은 아니었지만 나는 어쩐지 일이 잘될 것같은 예감이 들었다. 심사에 참가한 사람들의 태도가 어쩐지 호의적으로 느껴지는 데다가, 그들은 내가 미국 영주권이 없다는 것에 대해서 상당히 오랫동안 진지하게 이야기를 했기 때문이었다.

그들은 내가 아직 영주권이 없다는 것이 채용과정에서 절차상의 문제를 일으키지 않을까 하는 이야기를 여러 차례 꺼냈는데, 결론은 내가 교사가 되면 영주권을 더 빨리 받을 수 있을 것이란 쪽으로 났다.

만일 그들이 나를 채용할 의사가 전혀 없었더라면 사전에 그런 문제를 고려했을 리가 없기에 나로서는 은근히 긍정적인 결과를 기대하게 되었다.

그래도 결과를 기다리는 일주일은 1년도 더 되는 것처럼 길고 초조하게 느껴졌다. 마음을 졸이면서 통지가 오기만을 목을 빼고 기다리고 있는데 마침내 그 학교 당국으로부터 편지가 왔다. 봉투를 열어보니 괜히 손이 떨리고 가슴이 두근두근했다.

심호흡을 하고서 눈을 크게 뜨고 편지를 들여다보았다. 첫문장을 읽고 나서 '됐구나' 하고 안도의 한숨을 내쉬었다. 편지는 'We are pleased……' 로 시작하고 있었다. 일반적으로 이런 결과를 알려주는 편지들은 '이러저러한 사항을 당신에게 알려 주게 되어 기쁘게 생각한다.' 는 문장으로 시작하면 더 볼 것도 없이 합격했다는 것을 의미한다.

반대로 떨어진 경우에는 편지가 대부분 'Thank you'로 시작한다. '관심을 가져주어 고맙지만 안됐다.' 는 식인 것이다. 첫해의 연봉은 9천 달러였다. 당시로서는 나쁘지 않은 대우였다. 게다가 외국인으로서 처음 찾은 일자리라는 것을 감안하면 꽤 좋은 편이었다.

일자리를 얻고 나서 제일 기뻤던 것은 가족들을 데려올 수 있게 된 것이었다. 내가 이민국에 문의해 들은 대답에 의하면, 일단 공립학교의 영어교사 자리를 얻으면 영주권을 받을 수 있고 그땐 가족들도 초청할 수 있다는 것이었다.

그러나 공립학교 교사 자격증을 갖게 된 후에도 영주권은 쉽게 나오지 않았다. 아직도 미국에서 더 오랜 기간을 채워야 영주권을 받을 수 있다고 했다. 한시가 급한 나로서는 쉽사리 수긍을 할 수 없어 이곳 저곳에 알아본 결과, 공립학교 교사에게는 특혜가 있다는 이야기를 들을 수 있었다.

나는 즉시 이민국에 전화를 걸어 자세한 사항을 문의했더니 그 직원은 가입국 절차가 있으니 수속을 시작해보라고 안내를 해주었다. 그 설명을 해주면서 이민국 직원은 '지금까지 이런 법이 있기는 했지만 실제로 적용하는 것은 이번이 처음'이라면서 축하까지 해주었다.

정말로 그런 케이스가 드물기는 했던 모양이다. 우리 가족이 한국을 떠날 때 김포공항의 한 직원이 아내가 들고 있는 서류를 보더니 "도대체 누가 이런 서류를 가지고 미국에 갈 수 있다고 했느냐."며 의아해 하더라는 것이다.

공항 직원은 몇 번이나 서류를 들여다보며 이런 서류는 처음 보았다고 고개를 갸우뚱거리더니 우리 가족들에게 "허가가 났으니 일단 출국은 시키지만 가서 추방이나 당하지 말라."는 말을 했다고 한다.

마침내 가족들이 미국에 도착한 것은 1968년 7월 4일이었다. 지금도 그 날짜를 잊지 않고 있는 것은 그날이 미국의 독립기념일이기 때문이다. 우리 가족은 꼭 2년만에 미국에서 재회하였다. 이렇게 해서 나와 아내 그리고 네 아이의 미국생활이 시작됐다.

그때는 이미 1년 동안 교사로 일한 경력도 있는 데다가 믹스볼 교수를 떠나 새 집을 구해 미국에서의 독립적인 생활을 어느 정도 이루었을 때라 나도 여유가 있었다. 그러나 2년 동안 얼굴 한 번 보지 못한 가족들을 만난다는 생각에 나는 흥분했다.

아내와 큰 아들 태웅과 큰딸 혜영 그리고 둘째아들 태성과 막내딸 진영을 만날 생각에 들떠 있는 나를 보고, 나의 이웃이자 학부형이기도 한 친구가 공항까지 동행해주겠다는 제안을 했다.

그날 공항까지 가는 45분 거리가 왜 그렇게 멀고도 지루하게만 느껴졌는지…. 아마 이웃 친구가 운전을 대신해주지 않았더라면 나는 흥분해서 운전을 제대로 하지도 못했을 것이다.

한참을 기다린 끝에 마침내 공항의 출구를 빠져 나온 가족들을 만났다. 그렇게 기다려온 순간인데도 막상 그 순간이 닥치자 너무 기뻐서 무슨 말을 해야 좋을지 알 수 없었다. 아내는 울고 있었다. 아이들은 긴 여행에 피로한 듯했지만 역시 어딘가 새로운 곳에 왔다는 기쁨에 몹시 들떠 있었다.

나는 가족들을 미리 마련해둔 집으로 안내했다. 그 집은 그 지역에 살고 있는 한 학부형이 빌려준 것으로 월세 1백 달러의 아주 좋은 조건이었다. 그 집은 그후 2년 동안 우리 가족의 보금자리가 되어주었다.

그후에 우리는 두 번 더 이사했다. 첫 번째 이사는 근처의 좀 더 큰 집으로 간 것이고, 1972년에는 아예 새집을 지어 이사했다. 그 집은 아내가 설계과정에 자신의 아이디어를 많이 반영하여 지은 것이기 때문에 정말 우리집이라는 느낌이 들었다. 우리는 그곳에서 네 아이를 키우고 결혼도 시켰다. 그 집은 우리 가족에게 진정한 휴식과 안정감을 주는 곳이기에 지금까지도 남다른 애착을 가지고 살고 있다.

한국인이 영어교사라면 아무도 안믿어

미국에서 나의 첫 직장은 그리니치 타운십 공립학교. 나는 6학년을 맡아 영어와 사회과목을 가르치기 시작했다. 영어교사로 일한 첫해가 무사히 지나갔다. 미국에서 처음으로 보수를 받고 한 일인 데다가, 한국인이 미국 학생들에게 영어를 가르치는 것이었으니 부담이 적지 않았다.

한 번 상상해보라. 2년 전 한국에 온 미국인이 한국의 국민학교에서 6학년 아이들에게 국어 과목을 가르친다면 과연 믿을 수 있을지, 그리고 그 사람이 느끼게 될 부담이라는 것이 얼마나 클 것인가를.

결과적으로 내 영어가 어떤 수준에 도달해 있었든 나는 중학생이 되어서야 영어를 접한 외국인일 뿐이었다. 게다가 미국 땅을 밟은 지 채 2년이 되지도 않았던 시점이었으므로, 미국 국민학교의 영어교사가 되기로 한 것은 돌이켜 생각해보면 지나치다 할 정도로 과감한 시도였다.

그래도 결과는 좋았다. 당시 그 학교에 채용된 교사는 모두 세 명이었는데 나 말고 다른 두 사람은 백인 여자들이었다. 이들 중 한 명은 다음해에 재계약을 하지 못하여 파면되고 말았다. 학교 측에서 다시 계약을 연장하자고 했을 때 나는 안도의 한숨을 내쉬었다. 나는 드디어 실력을 인정받은 것이었다.

그러나 미국에서의 교사생활이 그리 만만한 것이었다고 말할 수만은 없다. 미국에서 두 번째로 맡은 8학년은 한국의 중학교 2학년에 해당하는 만큼 상당히 다루기 어려운 시기의 아이들이기 때문이었다. 미국교사들도 7학년과 8학년이 가장 가르치기 어려운 학년이라고 말할 정도다.

한국에서 통역도 했고 미국에서 석사학위를 마치기는 했어도 첫수업 때는 몹시 떨리고 긴장이 되었다. 그래도 아이들은 내가 미국에서 태어난 동양인이겠거니 생각하는 모양이었다. 아무도 내게 어느 나라 사람이냐고 직접 대놓고 묻지는 않았다.

다만 한 학생이 내게 이런 질문을 했다.

"선생님 조상이 살던 곳에 가본 적이 있으세요?" (Have you ever visited your ancestor's land?)

나에 대해 뭔가 궁금하기는 했던지 그 학생은 우회적으로 이렇게 물은 것이다. 나는 지도에서 아시아 지역을 가리키면서 그들에게 한국, 일본, 태국, 베트남 지역 등을 찾아보게 했다. 그리고 나서 이렇게 말했다.

"내가 알고 있는 다른 나라에서는 너희들처럼 이렇게 좋은 환경에서 공부하지는 못한단다. 너희들은 이처럼 좋은 환경에서 태어났고 교육받고 있으니 더 열심히 공부해야 한다."

미국의 교사들이 학생들을 지도할 때 가장 주의를 기울이는 것은, 아이들이 인간적으로 존중받고 있다고 느낄 수 있는 관계를 만들어가는 것이다.

'저 선생은 비인간적'이라거나 '너무 쌀쌀맞다'는 평을 들으면 교사로서 견디기 어려운 것이 미국의 학교 분위기이다.

나는 조심스럽게 아이들과 사귀려고 노력했다. 그러나 가끔씩은 다루기 어려운 아이들이 있게 마련이다. 바로 첫해의 일이다. 우리 반에 찰스라는 말썽꾸러기가 한 명 있었다. 첫 학기가 끝나갈 무렵 찰스가 수업이 끝난 후 나를 찾아왔다. 자신의 성적표를 미리 달라는 것이었다. 아마 부모에게 보이기 전에 적당히 처리해 버리려는 것같았다.

나는 그렇게 할 수는 없다고 단호하게 거절했지만 찰스는 완강히 버티며 자신은 무슨 일이 있어도 통지표를 먼저 받아야겠다고 고집을 피웠다.

교사는 절대로 아이들과 1대 1이 되어서 싸우면 안된다. 나는 태도를 바꾸어 그 아이에게 진지하고 조용한 목소리로 이렇게 말했다.

"찰스, 올해는 내가 교사로 일하기 시작한 첫해란다. 나는 여기서 너희들을 가르치면서 오래 일하고 싶은데 네가 이렇게 고집을 피우는 것을 보니 속이 상한다. 너희들을 가르치는 일을 그만두고 싶은 기분이다. 내가 너로 인해 이렇게 상처받을 수도 있다는 걸 생각해봤니? 네가 정 이러면 나는 이번 학기만 마치고 학교를 그만두겠다. 이제 고향으로 돌아가야겠어."

역시 아이는 아이인지라 찰스는 몹시 당황했다. 그리고 내게 다급하게 말했다.

"선생님 가지 마세요. 저 안 그럴께요. 죄송합니다."

찰스는 몹시 미안해 하며 고집을 꺾고 돌아갔다.

첫해에 가르쳤던 학급에서 잊을 수 없는 또 한 명의 아이는 로버트이다. 로버트는 아주 공부를 잘하는 아이였는데 점심시간이 되면 내 책상 앞에 의자를 가지고 와서 나와 함께 점심식사를 하곤 했다.

로버트는 같은 학년 아이들이 자신과는 수준이 맞지 않는다면서 늘 나와 이야기를 하고 싶어했다. 실제로 로버트는 아주 조숙한 아이였고 또 우수한 아이였다. 그는 내가 예상했던 대로 훌륭한 의사가 되어 일하고 있다는 소식을 들었다.

어쨌든 나의 경우는 비교적 운이 좋은 편이어서 아이들과 꽤 친하게 지낼 수 있었다. 특히 우리 학급의 가장 말썽꾸러기라고 할 수 있는 보스 기질을 가진 학생들이 나와 친하게 지낸 덕에 학급을 이끌어가는 데 큰 문제를 겪지는 않았다.

아마도 그 아이들은 그 동네에서 거의 볼 수 없었던 동양인 교사에게 어떤 호기심을 느꼈는지도 모른다. 다행스러운 것은 그 호기심이 짓궂은 방향으로 나아가지 않고 교사에게 친근감을 느끼는 쪽으로 표현되었다는 점이다.

이제는 그들도 성인이 되어 부모가 되었다. 요즘도 가끔 그 시절의 제자들과 길에서 마주치곤 하는데 언제나 스스럼 없이 뛰어와서 인사를 나누곤 한다.

교실에서의 큰 고민

그렇다고 해서 나의 교사생활이 아무 고민 없이 매끄럽게 굴러간 것만은 아니었다. 외국인이, 그것도 미국땅을 밟은 지 채 2년도 되지 않은 사람이 미국의 국민학생, 중학생을 가르친다는 것 자체가 드문 일이어서 모두들 나를 칭찬해주었지만 나에게도 고민은 있었다.

미국에 가기 전에도 나는 영어를 가르치는 일은 많이 했었다. 광주고등학교에서 영어교사로 일한 것만 해도 7년이나 되었고, 그 외에도 영어회화 그룹지도를 한 것까지 포함하면 영어교사로서 나의 경력은 만만치 않은 수준이었다.

실제로 영어를 가르치는 일 그 자체에서 그다지 큰 스트레스를 받지는 않았다. 내가 외국인이라고 해서 실력이 떨어진다는 이야기를 들은 일도 없거니와 미국에서 태어난 아이들조차도 나를 외국에서 온 사람이라고 의식하지 못할 정도였으니 영어 자체에서 오는 문제는 전혀 없었던 셈이다.

문제는 아이들과 나 사이의 문화의 차이에서 나오는 것이었다. 나는 충분히 미국식 문화에 익숙해 있다고 자신하고 있었으나 나도 모르는 사이에 한국에서 하던 식으로 교사 노릇을 하고 있었던 모양이다.

미국의 국민학교는 한 학급에 많아야 스무명 정도의 학생이 있을 뿐이다. 그런데도 이상하게 그 아이들을 이끌어가는 것이 그리 만만한 일은 아니라는 느낌이 자꾸 들었다.

나는 한국에서 하던 버릇대로 소리도 질러보고 아이들을 매섭게 야단도 치곤 했지만 이상하게 잘 먹혀들지 않았다. 나는 화가 나는데 아이들은 그저 킥킥 웃고 있는 경우도 많았다.

사실 내가 처음 맡았던 8학년은 사춘기에 접어든 나이이므로 정서적으로 상당히 미묘한 상태여서 교사로서는 아주 조심스럽게 상대해야 하는 시기이다. 그 나이의 아이들은 미국교사들도 다루기 어렵다고 기피하는 나이였다.

교사로서 아이들을 잘 다룰 수 없다는 사실 때문에 나는 적지 않은 무력감을 맛보아야 했다. 미국에 와서 처음으로 좌절감을 느꼈던 것도 바로 그때였다. 나는 한동안 혼자서 끙끙 앓다가 결국은 교장을 찾아가 나의 고민을 털어 놓았다.

교장은 나의 이야기를 듣고 난 후에 그리 걱정할 일은 아니라면서 다시 대학에 가서 학생을 지도하는 문제만 가지고 깊이 연구를 해보라고 충고를 해주었다. 나도 처음부터 다시, 아주 기본적인 문제부터 생각하고 시작하는 것이 좋겠다는 생각이 들어 주저하지 않고 뉴저지 주립대학에 등록을 했다. 그리고 한 학기 동안 그 문제만 가지고 연구를 했다.

말하자면 미국식으로 아이들을 다루는 방법을 연구한 것이다. 나는 이 과정에서 많은 것을 깨달았다. 내가 해오던 한국 교사의 지도방식은 미국에서는 잘 통하지 않는다는 것도 그때 절실히 느꼈다.

연구와 이론을 통해 나의 문제를 객관화시키니까 의외로 그리 어려운 문제가 아니라는 것도 알 수 있었다.

그렇게 해서 나는 나름대로 아이들을 이끌어가는 방법을 고안해냈다. 먼저 아이들을 소 그룹으로 나누어 그 안에서 리더를 선출하게 했다. 그리고 그 그룹 리더의 주재 하에 스스로 지켜야 할 원칙들을 만들어 내게 했다.

아이들은 '더 좋은 학급 분위기를 만들고 공부를 더 잘하기 위해 우리들은 무엇을 해야 할까.' 라는 주제를 가지고 한참 동안 토론을 하더니 스스로 규율을 만들어 갔다. 말하자면 학급이라는 작은 나라를 꾸려갈 법을 아이들 손으로 직접 만든 것이다. 그 법을 어겼을 때는 어떤 벌을 받을 것인가에 대해서도 아이들은 스스로 결정을 했다.

"자, 이 규칙은 내가 마음대로 만들어서 너희들에게 지키라고 강요하는 것이 아니다. 너희들 손으로 만들어 너희들이 결정한 일이니 이제 이 규칙을 지켜나가는 일만 남았다. 뭔가 다른 의견이 있으면 말해 봐라."

아이들은 자연스럽게 나의 의견에 동의해주었고 나는 그 규칙을 종이에 써서 교실 한쪽에 붙여 놓게 했다. 그 과정도 모두 아이들이 스스로 하게 했다. 아이들은 진지하게 자신들이 만든 법을 지키기 위해 노력했다. 그 다음부터 나는 아이들을 지도하기가 한결 쉬워졌다는 것을 느꼈다.

이제는 굳이 큰소리를 내가며 아이들을 야단칠 필요가 없었다. 수업시간에 떠드는 아이들이나 장난치는 아이들이 있으면 나는 아무 말 없이 손을 들어 아이들이 만들어놓은 규칙을 가리켰다. 그러면 아이들은 금방 무안해져서 씩 웃고는 제자리로 돌아갔다.

인간은 누구라도 스스로 만든 규칙을 어길 때는 심리적으로 고통받게 되고 그러지 않으려고 노력을 하게 된다. 간단한 일이었지만 그것은 큰 교훈을 주었다. 미국식 민주주의의 힘도 새삼 체험하게 되었다.

미국의 아이들은 이런 과정을 통해서 어린 시절부터 민주주의적인 과정을 체험하게 되는 것이다.

영어교사로 만족 못하고

나는 그 국민학교에서 2년을 근무했다. 그 다음 해인 1969년부터는 만추아 공립학교(Mantua School)로 직장을 옮겼다. 그쪽이 여러 가지 면에서 조건이 더 좋았을 뿐 아니라 연봉도 1만1천 달러로 올랐다. 그러는 동안 가족들도 미국 생활에 순조롭게 적응했고 내 생활도 안정되어 갔다.

그렇게 해서 미국생활이 10년이 다 되어갈 무렵 나는 이제 새로운 계획을 실행해도 좋을 때가 왔다고 느꼈다. 아니 더 이상 늦으면 다시는 시작할 수 없을지도 모른다는 불안에 사로잡혔다.

나의 꿈은 국민학교 영어교사가 아니라 미국 대학의 영어교수가 되는 것이었다. 내가 어릴 적부터 도전해왔던 영어를 뿌리, 줄기, 가지까지 송두리째 훑어 보겠다는 야심이 그것이었다. 더 이상 시간을 끌지 말고 박사과정에 들어가야겠다는 결심을 했다. 그러나 그것은 어디까지나 나의 강력한 소망이었을 뿐, 내가 공부를 다시 시작한다는 것은 꿈같은 일이었다.

교사로 일하면서 다섯 명의 가족을 부양해야 하는 처지에, 어떻게 1년에 2만 달러 이상이 드는 박사과정 공부를 할 수 있단 말인가. 그것도 한두 해 안에 끝날 수 있는 일도 아닌데….

그래도 희망을 잃지 말자고 나를 채찍질하긴 했지만 그날이 그렇게 쉽게 다가올 것 같진 않았다.

그때 다시 한번 행운의 여신이 내게 미소를 지었다. 나는 또 한번 기회를 잡을 수 있었던 것이다. 나는 어느날 우연히 신문을 보다가 미국 연방정부가 언어학 분야의 박사과정 학생들에게 장학금을 준다는 광고를 보게 되었다.

당시 미국에서는 외국으로부터의 이민이 급증하여, 영어를 제대로 말하지도 못하면서 미국사회에 편입되는 사람들의 수가 늘고 있었다. 초기에는 각자 알아서 하도록 내버려 두었지만 시간이 흐르면서 그 수가 급격히 늘어나 정부로서도 더 이상 방관만 할 수 없는 상황이 벌어졌다.

연방정부는 이들이 빠른 시간 내에 영어를 익히고 미국사회에 적응할 수 있도록 하는 '이중언어 프로그램'을 적극 지원했다. 즉, 영어와 또 한가지 언어를 동시에 가르칠 수 있는 교사를 양성하여 각급 학교에 투입하고 있었다.

따라서 그 장학금도 이런 '이중언어 프로그램(Bilingual Education Progress)'을 촉진, 활성화시키기 위해 그 분야의 연구

뉴저지 주에 있는 '센트럴 시티' 학교의 5학년 담임을 맡아 아이들을 가르쳤을 때의 하광호 교수. 한반 아이들이 27명으로 편성되어 있다.(1976년)

를 지원하기 위한 것이었다.

어쨌든 그 장학금은 박사과정이 끝날 때까지 3년 동안 등록금과 책값을 모두 합하여 1만5천 달러나 대주는 아주 좋은 조건이었다. 이 좋은 기회를 놓칠 수는 없다고 생각한 나는 당장 그 장학금 프로그램에 응시를 하기 위해 워싱턴까지 달려갔다.

그리고 운좋게도 장학금 수혜자로 선발되었다. 나중에 들어보니 당시 그 장학금에 약 2백50명이 응시를 해 10명이 뽑혔다고 한다. 그러나 장학생으로 선발되었다는 소식을 듣고 돈 한푼 안들이고 공부할 수 있게 되었다고 기뻐한 것도 잠시, 나는 새로운 고민에 빠졌다.

돈은 구했는데 시간은 여전히 부족했던 것이다. 장학금을 받을 수 있는 3년 동안 박사과정을 마치려면 풀 타임(full time)으로 공부하지 않으면 안되었다. 그러나 장학금을 받는다 해도 가족들을 부양해야 하는 처지에 생업을 포기할 수 없는 나로서는 풀 타임으로 박사과정 공부를 한다는 것은 꿈같은 일이었다. 그렇다고 장학금까지 받으며 공부할 수 있는 행운을 놓칠 수도 없었다.

이런저런 고민 끝에 도달한 결론은 무리가 되겠지만 어떻게든 둘 다 해보자는 것이었다. 먼저 교장을 찾아가 사정을 이야기하고 내 수업을 오후 세시 전에 끝낼 수 있도록 허락을 받았다.

나는 한때 장면(張勉) 박사가 공부하기도 했던 뉴저지주의 시튼 홀 대학의 영어교육과 박사과정에 등록을 했다. 빠른 시간 내에 박사학위를 딴다는 목표는 세웠지만 앞날이 그렇게 밝아 보이지만은 않았다.

학교수업을 마치면 나는 오후 4시30분에 시작하는 대학의 박사과정 수업시간에 늦지 않기 위해 1백 마일이나 떨어져 있는 대학으로 차를 몰았다.

말이 그렇지, 하루에 서너 시간씩 운전을 해가며 일주일에 세 번씩 대학에 가는 일은 보통 일이 아니었다. 그것도 내 학생들을 가르친 후에 가는 것이어서 몸이 이루 말할 수 없이 고달팠다.

학교 수업을 마치고 2시간 동안 운전하고 다시 대학교에 가서 수업 듣고, 또 다시 두 시간을 운전해 돌아오는 힘든 나날이 2년도 넘게 계속되었다.

나는 정신적으로나 육체적으로나 경제적으로나 무척 지치고 쫓기는 상황에 내몰리고 있었다. 그렇다고 무엇 하나 포기할 수가 없었다. 나는 무리인 줄 알면서도 강행군을 계속했다.

보다 못한 아내가 보약을 달여놓고 밤이면 기진맥진해서 돌아오는 내게 약사발을 내밀었다. 오후에 대학으로 가기 위해 떠날 때면 아내가 보온병에 콩국을 담아 건네주었다.

한 시간쯤 운전을 하고 가다가 피로가 몰려올 때쯤이면 나는 차를 세우고 그 콩국을 마셨다. 그리고 나서 10분쯤 쉬다가 기운을 내어 다시 차를 몰곤 했다.

대학교수가 되려고 다시 도전

그때 나는 이미 마흔 살이 넘은 나이였다. 그리고 네 아이의 아버지였다. 가장으로서 가족을 부양해야 하는 의무를 성실하게 이행하면서 하고 싶은 공부까지 다 해보겠다는 것은 누구라도 쉽게 이룰 수 있는 꿈은 아니었다.

그러나 아주 어린 시절부터 영어에 승부를 걸어온 셈이니 나로서는 결론을 내리지 않을 수 없었다. 나는 내 꿈을 이룰 수 있는 최종 단계를 준비하는 것이나 마찬가지였다.

미국에서 영어학 교수가 되어보겠다는 꿈은 나를 쉬지 않고 달리게 했다. 힘들고 괴로웠지만 나는 힘을 내서 버텼다. 그렇게 3년 가까운 시간이 흘러갔다. 박사과정을 수료하니 마지막 논문을 쓰는 과정이 나를 기다리고 있었다.

그때부터는 조금씩 숨통이 트이는 것같았다. 논문만 남겨 둔 상태에서는 일주일에 한번 정도 논문지도 세미나에만 참석하면 되므로 나는 전처럼 시간에 쫓기지 않을 수 있게 되었다.

일주일에 한번씩 정리한 부분을 가지고 교수를 만나러 갔다. 교수와 그날 주제에 대해 이야기하고 부분부분 수정을 하거나 교수의 충고를 듣곤 했다. 강의를 들을 때에 비하면 차라리 논문은 수월하게 느껴졌다. 마지막 관문이라 생각하니 이제 정말 조금만 더 하면 된다는 생각에 기운도 났다. 시간은 생각보다 그리 오래 걸리지 않아 약 1년만에 논문을 완성할 수 있었다.

내가 박사학위를 받은 것은 1978년. 미국 땅을 밟은 지 12년 만이었다. 당시 내가 미국 연방정부로부터 받은 장학금은 이중언어 프로그램을 지원하기 위해 만들어진 것이어서 장학금 수혜자들은 이 분야에서 일정수준의 기여를 해야 한다는 조건이 붙어 있었다.

그 조건이란, 첫째 박사논문은 반드시 '이중언어(bilingual) 교육'에 관해서 쓸 것, 둘째 박사학위를 마친 후 이중언어교육 분야에서 3년간 일할 것이었다.

따라서 박사논문은 자연스럽게 이중언어 교육문제를 다루게 되었다. 이중언어 교육의 성과에 영향을 끼치는 여러 요인들 중 학부모가 아이들의 학습결과에 어떤 영향을 끼치는가를 분석한 것이다.

약 2년에 걸친 면접조사를 통해 행해진 이 연구는, 어떤 가정환경에서 자란 아이들이 학교에서 받는 이중언어 교육에서 가장 큰 성과를 얻고 있는가를 알아보기 위한 것이었다.

나는 우선 아이들의 미국 체류 햇수를 알아보고, 그 부모들의 교육수준, 학부모의 직업과 경제수준을 조사하고, 부모가 아이들과 대화할 때 주로 사용하는 언어가 무엇인가를 살펴보았다.

그 결과 나타난 것은 미국체류 기간이 길고, 부모의 교육수준이 높으며, 부모의 사회적 지위가 높을수록, 그리고 부모가 영어를 사용하는 시간이 길수록, 아이들이 학교에서 받는 언어교육에서 좋은 성과를 얻고 있다는 사실을 알 수 있었다.

한 가지 예외는 부모의 수입 수준이었다. 부모가 돈을 얼마나 버느냐 하는 것은 아이들의 언어학습 성과와 의미 있는 관련성을 보이지 않았다.

마흔 여섯살에 영어학 박사

박사과정을 마치기까지 이런저런 에피소드가 많지만 그 중에서도 잊을 수 없는 것은 역시 구두 논문심사가 있었던 날이다.

지도교수는 심사가 있기 며칠 전 내게 "커다란 노트를 가져 와서 뒤적거리거나 허둥지둥 페이지를 넘기는 모습을 보이지 말라."는 충고를 해주었다. 대신 논문 요약한 것만 가지고 와서 참고를 하며 심사에 임하라고 했다.

그러나 나는 메모지는커녕 아예 맨손으로 구두 시험장에 갔다. 내가 몇 년 동안이나 고민하고 연구하여 쓴 논문인데 따로 들쳐 볼 필요도 없고 요약문을 참고할 필요도 없다고 생각했기 때문이다.

구두 시험장에 도착하니 주임교수가 기다리고 있다가 나를 보고 '침착하게 최선을 다하라.'고 마지막으로 격려를 해주었다. 박사학위를 받는다는 것은 내가 그간 해온 영어공부의 한 단계를 매듭짓는 중요한 의식을 의미했다. 나는 크게 심호흡을 하고서 시험장 안으로 들어갔다.

그저 하나의 과정일 뿐이다 라고 생각은 하면서도 내심 긴장이 되었다. 시험장 안에 들어서니 교수들이 빙 둘러앉아 있고 가운데 빈 자리 하나가 눈에 띄었다. 바로 내가 앉을 자리였다. 내 앞의 테이블 위에는 물이 한 컵 놓여 있었다.

주임교수가 내게 "물을 한 잔 마시면 마음이 가라앉을 겁니다. 누구나 다 이런 과정을 거치게 마련이지요. 결국 이 과정을 거치는 것도 당신 공부에 도움을 주는 일이지요."라고 말하며 빙그레 웃었다.

그의 미소를 보니 나도 안심이 되었다. 심사위원들은 모두 내 논문을 한 권씩 앞에 두고서 내게 질문세례를 퍼부었다. 나는 침착하게, 무차별적으로 쏟아지는 교수들의 질문에 하나하나 대답해 나갔다.

이러이러한 주장을 했는데 그 주장의 근거는 무엇인가, 왜 하필 그 저자의 말을 인용했는가 등등 일일이 열거하기도 어려울 정도의 질문이 여기저기서 튀어 나왔다. 나는 신경을 잔뜩 곤두세우고 그들의 질문을 정확하게 파악하고 내 생각을 설명했다. 그렇게 두 시간을 보낸 것같다.

어디선가 '이만하면 됐다.'는 이야기가 들려왔다. 나도 모르는 사이에 한숨이 나오며 '이제 끝났구나.' 하는 생각이 들었다. 심사위원 중 한 사람이 내게 "밖에 나가서 잠깐 기다리고 있다가 다시 부르거든 들어오십시오."라고 이야기했다. 정말로 구두시험이 끝난 것이다. 나는 천천히 시험장을 빠져 나왔다.

내가 밖에 있는 동안 그들은 내 논문에 대해 평가하고 나를 통과시킬 것인지 여부를 결정할 것이다. 결국 내 평생의 작업을 공식적으로 평가받게 된 것이다. 취미로 시작한 영어공부에 이제 영어학 박사라니…. 왠지 마음은 편했다. 그들이 다시 나를 부르는 것을 기다리는 동안 나는 이상할 정도로 담담한 심정이었다.

박사과정에서 공부를 하는 동안에도, 논문을 쓰는 과정에서도 그리고 마지막 구두시험장에서도 최선을 다했으므로 아쉬울 것은 없었다. 아니 그만큼 자신감이 있었는지도 모른다.

20~30분 정도의 시간이 지났을까. 나를 부르는 소리가 들렸다. 나는 자세를 바로 하고 다시 방안으로 들어갔다. 주임교수가 나를 보고 활짝 웃으며 손을 내밀었다.

그때 나는 직감적으로 '됐구나' 하는 안도감을 느낄 수 있었다. 주임 교수가 내게 건넨 첫마디가 "하박사님 축하합니다."였다. 나는 그와 악수를 나누며 내 인생에서 처음으로 들은 '박사' 라는 호칭에 진한 감동을 느꼈다. 이제 한 과정이 끝났다는 것을 실감나게 느끼는 순간이었다.

그는 이어서 이렇게 말했다.

"당신은 이제 구두시험에 합격했으니 이 순간부터 우리는 당신에게 박사라는 칭호를 붙일 겁니다. 물론 졸업을 하기 전까지는 정식 박사라고 할 수는 없지만 어쨌든 당신은 자격을 갖춘 겁니다."

1백 50대 1의 경쟁을 뚫고

내가 정식으로 박사학위를 받은 것은 1978년이지만, 학위를 받을 것이 거의 확실해진 1976년부터는 공립학교를 떠나 뉴저지 주립대(New Jersey State College)로 자리를 옮겼다.

박사학위를 받은 1978년부터 81년까지 3년 동안 나의 주요 임무는 ESL(English as a Second Language)교사 양성 교육이었다. 뉴저지 주립대학에는 영어가 제2외국어인 학생들을 가르칠 교사들을 양성하는 프로그램이 있었는데, 내가 그 일을 맡아 한 것이다.

나의 박사논문이 바로 그 주제를 다루었기 때문이기도 했지만 내가 받은 연방정부의 장학금 수혜 조건이 박사학위 취득 후 3년간 이중언어 교육 분야에서 일해야 하는 것이기 때문이었다.

마치 3년의 군복무를 마치듯, 이 분야에서 꼬박 3년간 일하고 나니 미국 연방정부로부터 '해방'을 알리는 편지가 날아왔다.

'당신은 3년간의 책임을 다했다.'는 일종의 자유선언이랄까. 나로서는 그간 진 빚을 다 청산한 셈이니 그 이상 홀가분할 수 없을 정도로 마음이 가벼웠다.

이제는 '이중언어 교육'이라는 한정된 범위를 벗어나서, 내가 언어학자로서 꼭 해보고 싶은 분야를 개척할 수 있게 된 것이다. 나는 영어과의 다른 분야로 눈을 돌려 내가 할 수 있는 분야를 찾아 나갔다. 기회가 주어지는 대로 여러 분야의 강의도 시도해 보았다.

그러는 사이에 뉴저지 주립대학에서만 10년을 넘게 보냈는데 다른 대학에서 시간강사를 하기도 했다. 1987년부터 88년까지는 안식년이어서 나는 1년간 푹 쉬면서 편하게 공부를 할 수 있었다.

학교에 있다 보면 일과 연구에 쫓기느라 미처 보지 못했던 논문과 책들을 보면서 오랫만에 마음 편한 1년을 보낼 수 있었던 것이다.

내가 뉴욕주립대학에 발을 들여놓게 된 것은 1988년의 일이었다. 그해 9월 뉴욕주립대학에서 영어교육과에 'English Language Arts and Reading' 5) 과목의 교수를 채용할 예정이라는 소식을 들었다.

미국에서는 읽기 교육을 매우 중요시하여 영어를 가르치는 과정에서도 읽기 지도만을 전문적으로 하는 교사를 따로 양성하고

---

5) The English Language = The structured system of rules used to communicate with others in the English language = Phonology, Morphology, Syntax, Semantics.

(영어 하면 음성학, 어형론, 구문론, 의미론 등의 영어 특유의 규칙들이 있는데, 이 중 어떤 system 하나라도 지도하면 영어를 지도했다고 할 수가 있다.)

The English Language Arts = Listening, speaking, reading, writing, and thinking in English.

(Language Arts 속에는 모든 언어의 요소들인 듣기, 말하기, 읽기, 쓰기 그리고 한 언어의 성공적인 사용을 위한 '사고'까지도 포함되어 있다. 굳이 번역하자면 '영어지도 방법'이라고 할 수밖에.)

Arts = The use of acquired skill, knowledge, and imagination in producing works in English.

(Arts라고 하면, 언어사용에 필요한 기법, 지식, 그리고 그 언어로 생산해 낼 수 있는 (말하기와 쓰기) 용법을 취득하는 것임.)

있다. 그 분야를 다루는 것이니 내 전공과도 맞는 과목이라 나는 서둘러 서류를 만들어 그 자리에 지원을 했다. 몇 주 후에 뉴욕주립대학에서 편지가 날아왔다. 응모자 중에서 1차로 15명을 선발하여 전화면접을 실시한다는 것이었다. 그들은 내게 편한 날짜와 시간을 정해주면 자신들이 그날 전화를 걸어 면접을 실시하겠다고 했다.

일정을 정해서 알려주고 전화 면접날을 기다렸다. 오후 7시 무렵이었던 것으로 기억하는데, 나는 그날 학교 일과를 마치고 집으로 돌아와 초조하게 전화를 기다리고 있었다.

미국에서는 초기 면접 단계에서 전화면접 방식을 자주 이용한다. 시간과 돈을 절약할 수 있고 간단한 방식으로 가능하기 때문이다.

정각에 전화벨이 울렸다. 나는 애써 마음을 가다듬고 수화기를 들었다. 수화기 저편으로 여러 사람들의 목소리가 들렸다. 사람들의 얼굴을 볼 수 없으니 답답하기 그지 없었지만 차라리 마음은

Thinking = The ability to organize the English language, and explain ideas so as to conceive, analyze, infer, or resolve in English. Thinking is a combination of knowledge, skills or processes, and attitudes. Thinking serves as the foundation for and provides the structure that links the other language arts-listening, speaking, reading, and writing.(한 언어의 규칙들을 철저히 공부했다고 하더라도 '사고(思考)'의 도움없이 어떻게 언어생산이 가능하겠느냐는 이야기.)

결론 : 영어를 산 언어로서 실제 의사소통에 사용하려면 The English Language Arts를 지도하고 공부해야 하며, 책을 가지고 영어에 관한 것을 공부할 수는 얼마든지 있음.

편했다. 이런저런 질문 끝에 그들은 이렇게 말했다.

"열다섯 명의 지원자들에 대한 전화 인터뷰가 모두 끝나면 그 중 5명을 선발해서 통지를 하겠습니다. 만일 당신이 그 다섯 명 중 한 명으로 선발이 되면 당신에게도 통지가 갈 것입니다."

이렇게 해서 또 한 번의 기다림이 시작되었다. 아무 일도 없는 것처럼 지내려고 노력은 했지만 이런 식의 통지를 기다릴 때처럼 답답하고 초조한 일도 없는 것같다. 아무리 여러 번 겪어도 도무지 익숙해지지 않으니 말이다.

일주일쯤 지났을 때 내가 마지막 다섯 명 중의 한 사람으로 선발되었다는 통지를 받았다. 이제 정식 인터뷰를 하러 학교로 한 번 오라는 것이었다. 다섯 명 중에서 최종적으로 한 명을 뽑는 시험인 셈이다.

2월 중순 무렵이었다. 뉴욕주 북부지방의 날씨는 꽤 쌀쌀해서 나는 코트깃을 한껏 여미고서 그 학교로 찾아갔다. 위도로 치면 중국의 만주에 해당하는 지역이어서 몹시 추웠다. 새로운 직장을 구하는 일이니 마음이 을씨년스럽기도 하련만 이상하게도 그런 생각은 별로 들지 않았다.

아마도 미국에 유학을 온 이래 공부하고 취직하는 과정에서 별다른 어려움 없이 지내왔던 터라 매사가 긍정적으로 보였기 때문일지도 모른다. 나는 속으로 생각했다.

"자! 이제 대학교수가 되는 일이다."

단순하게 생각해보면 나쁜 것은 별로 없었다. 운이 좋으면 정식 교수가 되는 것이고, 그렇게 되지 않는다 해도 이미 일자리가 있으니 먹고 사는 일에 문제가 있는 것도 아니다. 게다가 기회란 또 있는 것이니까.

나는 여유를 갖고 학교 교문을 들어섰다. 담당자는 내게 그날의 일정을 보여 주었다. 인터뷰는 물론이고 1시간 동안 교수들을 대상으로 강의를 실연하는 과정도 포함되어 있었다. 강의야 평생을 해온 일이나 다름 없으니 그저 한번 멋지게 보여주면 되는 것 아닌가. 나는 별로 위축되지도 않고 그 과정을 무사히 마칠 수 있었다.

면접이 끝나갈 무렵 이상하게도 나는 다시 한번 '될 것 같다'는 예감이 들었다. 심사를 담당한 교수 중 한 사람과 이런저런 이야기를 많이 나누었는데 그는 웬일인지 내게 앞으로 그 대학의 영어과에서 할 일이라든지 계획 등에 관한 이야기를 자주 꺼냈다.

만일 그가 나를 다시 만날 일이 없는 사람이라고 생각했다면 구태여 그런 화제를 꺼낼 필요가 있었을까. 내가 자신들이 내세우는 기준에 미달하는 사람이라고 생각했다면 굳이 내년 일에 대해 그렇게 구체적으로까지 나의 견해를 들으려고 할 필요가 있었을까. 나는 혹시 이것이 아전인수격의 생각은 아닐까 조심은 하고 있었지만 긍정적인 결과에 대한 기대는 점점 부풀어만 갔다.

인터뷰가 끝난 날, 나는 학교 부근에서 하루를 묵고 다음 날 집으로 돌아왔다. 인터뷰를 마친 기분은 홀가분했지만 또 다시 결과를 기다려야 한다는 것은 역시 부담이었다. 그러나 이번에도 행운의 여신은 나를 향해 미소짓는 것을 잊지 않았다.

뉴욕주립대에서 면접을 마치고 돌아온 바로 그 다음날 저녁, 전화벨이 울렸던 것이다. 결과가 그렇게 빨리 통지되리라고는 미처 예상하지 못했기 때문에 수화기 너머로 들려오는 사범대학장의 목소리를 듣는 순간 나는 그야말로 아찔함을 느꼈다.

"영어과 교수 전부가 당신이 최적격자라는 결론을 내렸습니다.

우리와 함께 일해보지 않겠습니까?"

그는 내게 "당신, 아직도 그 교수직에 관심이 있는 거지요?"라고 덧붙였다. 마치 하룻밤 사이에 내 마음이 변했을지도 모른다는 걱정을 하고 있는 사람처럼….

"우리 모두가 당신이 최적격자라는…"이라는 말이 수화기를 빠져 나와 내 귓속으로 흘러 들어왔다. 그리고 아주 따뜻한 전류가 되어 내 몸 전체를 감싸는 것 같았다. 나는 아주 담담한 목소리로 "물론이지요."라고 대답했다.

사범대학장은 좀 흥분한 목소리로 서둘러 말했다.

"당장 부총장에게 보고를 해야겠군요. 당신이 우리 제의에 응할 것이라고…. 빨리 봉급을 결정해야 하니까…."

어떻게 전화를 끊었는지는 잘 기억이 나지 않는다. 나는 아주 여유있고 침착하게 응대를 했던 것같다. 그러나 마음 속은 뭐라 형언할 수 없는 기쁨으로 가득 차 올랐다.

내가 합격소식을 충분히 음미할 만한 시간이 지나가기도 전에, 이번에는 성질 급한 부총장의 전화가 걸려 왔다.

"지금 막 학장에게 보고 받았는데 함께 일하게 돼서 정말 기쁩니다. 자, 이제 우리가 마지막으로 결정해야 할 일이 남아 있군요."

나는 냉정을 되찾고서 연봉 협상에 임했다. 내가 기대했던 것보다 그들의 제안이 후했던 탓에 연봉 협상은 어렵지 않게 결론이 났다. 이제 더 좋은 조건의 새 직장에서 일하게 된 것이다. 나는 정말로 미국 사범대학의 영어교육학과 교수가 된 것이다!

나는 서둘러 공립학교 교사직과 대학의 시간강사직을 정리하고 새로운 생활을 위한 준비를 했다. 뉴욕주립대에 근무하기 시작한 첫주에 총장 관사에서 조촐한 환영 파티가 열렸다. 그날은 다른 과의 신임교수 10여 명과 함께 새 직장의 동료들을 만나는 순간이었다. 총장은 슬그머니 내게 다가와 의미심장한 미소를 건네며 이렇게 말했다.

"당신 얼마나 극심한 경쟁을 뚫고 들어왔는지 알고 있기나 한 겁니까?"

내가 어리둥절한 표정을 짓자 그는 크게 웃으며 "당신은 일백오십 명의 응모자들을 물리치고 뽑힌 사람입니다. 우리는 당신에게 정말로 큰 기대를 걸고 있어요."

나는 잠시 어리벙벙한 표정으로 멍하게 서 있었다. 그리고 나도 모르게 이렇게 중얼거렸다.

"일백 오십 명이라니, 굉장하군…."

내 스스로 생각해도 정말 엄청나다는 생각이 들었다. 만일 내가 그 숫자를 미리 알았더라면 지레 겁을 먹어 자신감을 잃어버렸을지도 모른다. 새삼 어깨가 무거웠다. 자부심이랄까, 뿌듯한 감정이 부풀어올라 가슴 속을 가득 채웠다.

나는 재빨리 그 파티장의 사람들 속으로 섞여 들어가 사람들과 인사를 나눴다. 나와 같은 신임교수들과 기존 직원들…. 웬일인지 새로 만나는 사람들이 더 정답게 느껴졌다.

미국 학생들에게 영어를 가르치며

우리 아이들은 이렇게 영어를 익혔다

나혼자 유학생활을 시작한 지 2년만에 한국에서 날아온 가족들과 재회했을 때의 기쁨은 지금도 어제의 일인 듯 생생하기만 하다. 나와 아내는 마치 새로 살림을 차리기라도 하는 것처럼 즐거운 기분으로 신나게 하루하루를 보냈다.

미국에 처음 와서 적응하기까지 온갖 어려운 일들을 도와주고 나를 아들처럼 보살펴주었던 믹스볼 교수와 헤어지는 것이 아쉽기는 했지만 역시 내 가족과 함께 사는 것이 가장 행복한 일이라는 것을 새삼 실감하지 않을 수 없었다.

우리는 새 집을 마련하고 하나하나 살림 기반을 다져 나갔다. 그러나 가족들과 다시 만난 기쁨 속에서도 내게는 걱정이 많았다. 무엇보다도 걱정스러웠던 것은 아내와 아이들이 낯선 미국생활에 제대로 적응해 나갈 수 있을 것인가 하는 점이었다.

물론 적응을 하지 못할 것이라고는 생각하지 않았다. 다만 그 기간을 얼마나 단축할 수 있느냐, 그리고 그 기간 동안 얼마나 고통을 덜 받고 지낼 수 있느냐 하는 것은 매우 중요한 문제였다.

당시 미국 이름으로 바꾼 큰아들 스티븐과 큰딸 수잔은 이미 국민학생이었고 둘째아들 토비와 막내 조안나는 국민학교에 입학하기 전이었다.

나는 먼저 아내가 미국생활에 잘 적응하는 것이 우리 가족을 위해 가장 중요하다고 생각했다. 그래서 약간 무리라는 것을 알면서도, 미국에 온 지 얼마 되지도 않은 아내를 근처의 봉제공장에 취직을 시켰다. 아내가 미국에 온 것이 7월 4일, 미국의 독립기념일이었는데 그해 8월에 곧장 취직을 했으니 꽤 서두른 셈이다.

아내는 그래도 기본적인 말을 할 줄 알았기 때문에 내가 굳이 그런 방법을 택한 것이다. 또 미국에서 그럭저럭 사는 방법에 익숙해져 버리면 아내는 영어를 배우지 않은 채 그냥 살아가는 방식에 안주해 버릴지도 모른다는 조바심이 있었기 때문이다.

내가 아내를 처음 만난 것도 사실은 영어 덕이었다. 우리가 만난 것은 6. 25 직후였는데 당시 광주의과대학에 다니던 나의 중학 동창들이 영어회화를 배우자고 해서 내가 영어회화 그룹을 만든 일이 있었다.

이때 함께 공부할 사람들을 모으느라 광고를 냈는데 이 광고를 보고 첫날 찾아온 사람들 중에 아내가 있었다. 그러니 아내는 영어에 대한 흥미도 꽤 있는 편이었고 또 영어를 배워보겠다는 의욕도 있었다. 우리는 그 인연으로 결혼했고 그때 공부해 놓은 것이 아내의 영어실력에 큰 재산이 되었다.

교육을 많이 받고 영어공부를 상당히 했다는 사람들도 막상 미국에 오면 고통을 받는 것이야 피할 수 없는 일이니 아내로서도 괴로움은 있었을 것이다. 겁도 났을 테고 답답하기도 했을 것이다. 그래도 아내는 나의 결정에 기꺼이 동의해주었다.

처음부터 아예 공장에 가서 미국인들과 섞여 일하고 함께 지내다 보니 아내는 빠른 속도로 미국생활에 적응해갔다. 그 공장에는 당시 약 2백명 정도의 직원이 있었다. 그러나 봉제공장이라는 곳이 사실 말이 별로 필요 없는 곳이기도 한데다, 아내는 눈썰미와 감각도 있고 손끝이 여물어 일도 꽤 잘한다는 평을 들었다.

아내는 가끔씩 공장의 동료들이 하는 이야기 중에 알아듣지 못한 부분을 잘 기억해두었다가 나에게 와서 묻곤 했다. 반대로 꼭 하고 싶은 말이 있는데 잘 생각이 나지 않으면 전날 나에게 물어 미리 준비하고 연습을 해가기도 했다.

그 과정은 그야말로 실전을 통해 영어를 배우는 중요한 수업이 되었다고 생각한다. 내 체험으로 보아도 열심히 준비해 두었다가 적절한 상황에서 한번 사용해본 말은 쉽게 잊어버리지 않기 때문이다.

아이들은 미국에 오자마자 곧장 내가 교사로 일하고 있는 국민학교에 입학을 시켰다. 아이들도 두렵기는 마찬가지였을 것이다. 그러나 '아버지가 선생님으로 있는 학교'라는 사실은 아이들에게 심리적으로 안정감을 주는 데 큰 보탬이 됐다.

말이 통하지 않아 학교생활이 낯설고 어려워도 같은 건물 어딘가에 아버지가 있다고 생각하니 아이들에게는 크게 두려울 것이 없었던 것이다. 쉬는 시간이 되거나 수업이 끝나면 아이들은 내 교실로 슬며시 찾아오곤 했다. 나는 그때마다 아이들을 반기며 간장을 풀어주려고 노력했다.

미국에 왔을 때 국민학교 4학년이었던 스티븐과 3학년이었던 수잔은 한국에 있을 때 영어를 정식으로 공부한 일은 없었다. 또 그러기에는 너무 어린 나이였다.

그러나 한국에서도 내가 영어교사였고 또 미국인 수녀들에게 한국어를 가르쳤기 때문에 다른 보통 아이들에 비하면 영어라든지 외국인에 대한 거부감은 없는 편이었다.

그때까지 우리 아이들이 그럭저럭 귀동냥을 하여 듣고 배운 영어실력을 다 합하면 한국의 중학교 1년생 정도 되었을까. 대단한 것은 아니지만 그래도 없는 것보다는 나았다.

나는 좀 심하다 싶을 정도로 아이들의 영어실력 향상에 주의를 기울였다. 아이들의 담임교사들에게도 특별히 부탁을 해서 아이들의 영어실력이 어떻게 발전해 나가는지 관심을 가져달라고 말하기도 했다.

그렇다고 해서 내가 아이들에게 영어공부를 위한 공부만을 강요한 것은 아니었다. 아이들 앞에서 교사가 되어 일일이 영어를 가르친 것도 아니었다. 말로는 공부를 시켰다고 하지만 실제로 내가 한 일은 우리 아이들이 미국 아이들과 어울려 놀 수 있는 시간을 최대한으로 만들어주는 것이었다. 그리고 아이들이 가능한 한 많은 말을 영어로 해보도록 격려해주는 것이었다.

미국 친구들과 함께 놀며 공부하는 것이 재미있다고 생각되면 아이들은 자연스럽게 '친구들과 어울리고 싶다.'는 아주 현실적인 목표를 갖게 된다. 그 나이의 아이들에게 또래 친구들과 어울린다는 것보다 더 현실적이고 더 중요한 동기는 아마 없을 것이다.

실제로 그 과정에서 아이들의 영어 실력은 놀라울 만큼 빠른 속도로 향상되어 갔다. 옆에서 지켜보는 내가 깜짝 놀랄 정도였다. 내가 얼마나 노력을 기울여서 영어를 익혔는가와 비교해보면 우리 아이들은 저절로 영어를 배우는 것처럼 보였다. 그 언어가 쓰이는 곳에서 영어를 배운다는 것은 이처럼 이점이 많은 것이다.

게다가 우리가 살았던 동네가 동양인이 거의 없는 마을이어서 그런지 사람들은 우리 아이들에게 아주 친절했고, 미국 아이들도 우리 아이들에게 특별한 관심을 쏟아주었다.

나는 아이들에게 집안에서도 늘 영어로만 말하도록 했다. 식사 시간에도 영어로 이야기를 하며 아이들이 정확한 영어표현을 할 수 있도록 도와주었다. 처음에는 좀 어색하기도 했지만 시간이 흐르면서 차차 영어에 몰입할 수 있게 되었고 이 수업 아닌 수업이 아이들에게 큰 도움을 주었다.

아이들은 자기 생각이 영어로 잘 표현되지 않을 때면 답답해 하며 한국말을 하기도 했지만 언어의 중심이 차차 영어로 옮아갔다. 아이들은 처음에는 한국어 문장구조에 영어 단어를 끼워 맞춰 말을 하더니 어느 사이엔가 영어문장 구조를 사용하고 있었다. 그러다가 잘 모르는 단어가 있으면 한국말을 사이사이 끼워 넣곤 했다.

문장구조가 영어 중심으로 바뀌는 것을 보며 나는 안도감을 느꼈다. 그것은 이제 아이들이 영어식으로 생각하고 말하게 되었다는 좋은 징조였기 때문이다.

그러는 중에도 아이들은 제 엄마와는 한국어로 이야기하곤 했다. 역시 아내는 어른이라 그런지 아이들만큼 빠르게 영어를 배우지는 못했다. 영어가 서투른 아내로서는 한국어가 편하니까 자주 한국말을 했는데 결과적으로는 그것이 아이들이 한국말을 잊지 않는 데 도움을 주기도 했다. 말하자면 저절로 이중언어 교육을 실시하게 된 셈이다.

1966년 설흔이 넘은 나이에 도미, 천신만고 끝에 교포출신으로는 유일하게 영어교사를 배출하는 영어교육학 교수가 되기에 이른 하광호 교수의 가족들. 아이들도 무난하게 미국생활에 잘 적응하며 자랐다.

그 과정에서 아이들이 가장 어려움을 느꼈던 것은 정확한 스펠링을 익히는 것이었다. 구어로서의 말은 비교적 쉽게 늘었지만 그 말이 문자화(文字化)되기까지는 시간이 좀 걸렸다.

수잔과 스티븐이 처음 학교에 다니기 시작했을 때는 모든 것을 눈치로 파악하고 따라갔다고 한다. 처음에야 선생님이 영어로 하는 말이 아이들의 귀에 들릴 리 없으니 다른 아이들이 움직이는 것을 보고 따라하고 흉내 내면서 학교 생활을 시작했던 것이다.

아이들이 학교에 다니기 시작한 지 얼마 되지 않았을 때, 아이들 걱정으로 마음을 졸이던 아내가 하루는 직접 학교에 찾아가 보았다. 아내가 교실 밖에서 몰래 살펴보니 우리 아이들은 약간 얼떨떨한 표정이긴 해도 다른 아이들이 사물함에 도시락을 집어넣으면 그것을 그대로 따라 하고, 교실 뒤편에 겉옷을 걸면 또 슬며시 자신들도 그렇게 걸면서 눈치껏 해나가고 있었다.

다행스러웠던 것은 미국 아이들이 동양 아이들이라고 해서 따돌리거나 웃음거리로 만드는 일은 거의 하지 않았던 점이다. 또 내가 그 학교 교사였기 때문에 아이들로서도 그 점을 존중해 주었는지도 모른다.

나는 가끔씩 우리 아이들의 담임교사를 찾아가 수잔과 스티븐의 영어실력이 제대로 발전하고 있는지 물어보기도 했는데 그때마다 교사들은 내게 "매일 나아지고 있으니 걱정하지 말라."고 안심을 시켜 주었다.

그러던 중 큰 아들 스티븐에게 작은 사건이 생겼다. 같은 학급의 아이가 스티븐의 성(姓)을 가지고 놀려대기 시작했던 것이다. 하(河)라는 성은 그 반에서 가장 짧은 이름이었다. 미국 아이들이 듣기에는 기분이 좋을 때 내는 소리 '하하'(ha, ha)와 비슷하니 좀 괴상하기도 했을 것이다.

스티븐의 학급에 있는 한 백인 아이가 늘 스티븐만 보면 "하하", "하하"라고 놀려댔다, 괜히 불러서 "헤이, 스티븐, 하하. 헤이 스티븐, 하하."하면서 웃곤 했다.

스티븐은 그 아이 때문에 꽤 스트레스를 받았다. 아직 말이 서투르니 뭐라고 대응을 하지도 못하고 약이 올라서 괴로워했던 것이다.

스티븐의 담임교사가 이 사실을 알아채고는 어느날 스티븐에게 이렇게 말했다.

"스티븐, 내가 책임을 질 테니 내 앞에서 저 녀석 빰을 한 대 갈겨 줘라."

스티븐은 선생님의 말을 듣고 용기를 내어 그 녀석의 빰을 힘껏 때렸다. 그리고 그후부터는 그런 놀림을 받지 않게 되었다.

이 작은 사건을 제외하면 우리 아이들은 별 다른 사건은 겪지 않고 무럭무럭 자랐다. 그렇게 1년이 지난 후에는 영어로 의사소통을 하는 데 아무런 지장이 없을 정도로 거의 완전한 영어를 구사하게 되었다.

학생들은 인간적으로 존중받아야

미국의 국민학교 교실은 소문처럼 그렇게 자유분방하고 소란스러운 곳은 아니다. 한국인의 눈으로 보면 아이들의 태도가 엉망진

창으로 보일지 몰라도 사실 거기에는 꽤 많은 규율과 원칙이 있다.

내가 미국에서 국민학교 교사로 일한 것은 약 7년 정도이다. 여러 학년을 지도해보고 싶은 욕심이 있어 해마다 학년을 바꾸려고 노력했는데 8학년을 시작으로 7학년 9학년 11학년 학생들을 지도해 보았다. 한국으로 치면 초·중·고학생들을 두루 지도한 셈이다.

미국에서는 아이들이 마음대로 교실에 들어갈 수 없다. 한국에서처럼 아이들이 학교에 도착하는 대로 교실에 들어가서 제 자리에 앉아 교사를 기다리는 것이 아니다. 아이들은 학교에 오면, 수업시작 시간이 되어 교사가 이들을 인솔하러 나타날 때까지 친구들과 운동장에서 논다.

등교 시간은 대부분 오전 8시 30분인데 이때 수업이 시작할 때가 됐음을 알리는 종소리가 울린다. 운동장에 흩어져서 마음대로 뛰놀던 아이들은 이 종소리를 듣고 자기 담임 선생님을 찾아 모여든다.

아이들은 일단 선생님을 찾아가 그 앞에 한 줄로 정렬하고 선생님의 신호에 따라 교실로 들어간다. 이때 학교에 나와 있던 자원봉사 어머니들이 아이들이 모여서 교실로 들어가는 것을 도와주기도 한다.

미국의 교사들은 개학 초기인 9월에 얼마나 아이들을 잘 훈련시키느냐에 따라 그 1년이 편하기도 하고 고생스럽기도 하다는 것을 잘 알기 때문에 개학 초에는 아이들에게 잔뜩 신경을 쓴다.

나도 예외는 아니어서 초기에 아이들에게 철저하게 나의 스타일을 심어 주느라고 노력을 기울였다. 나는 줄을 서 있는 아이들 중 한 명이라도 장난을 치고 있으면 절대로 교실 안으로 들여보내지 않았다. 나는 늘 아무말도 하지 않고 아이들이 조용해지기를 기다렸다. 그러다가 한 아이가 떠들고 있으면 손가락으로 하나라는 표시를 한다. 아직도 한 명이 장난을 치고 있어 교실로 들어가지 못한다는 표시이다. 그러면 아이들은 저희들끼리 눈치를 줘가며 조용해지곤 했다.

한 학급은 대개 20명에서 25명 내외. 내가 근무하던 학교가 있던 지역은 흑인들의 수가 적어 한 반에 흑인이 두세 명 정도밖에 없었고 아시아계 사람은 거의 찾아보기 힘들었다.

아이들이 준비가 되면 나는 천천히 아이들을 데리고 교실로 들어간다. 그때가 대략 오전 8시 45분이다. 아이들은 교실에 들어가서 도시락을 자기 사물함에 넣고 자리에 앉는다.

맨 처음 하는 일은 국기에 대한 경례. 아이들의 하루는 그렇게 시작된다. 미국의 국민학교에는 따로 교무실이라고 할 만한 것이 없다. 교사는 교실 한 구석에 책상을 두고 하루 종일 아이들과 같이 지낸다. 선생님들끼리 모이는 자리라면 휴게실을 겸한 회의실이 있을 뿐이다.

미국 어린이들은 인간적으로 존중받고 있다는 것을 매우 중요하게 생각한다. 따라서 교사들은 아이들과 그러한 관계를 유지할 수 있도록 각별히 신경을 써야 한다.

미국 병아리 교사들의 시험기간, 3년하고 하루

미국에서 처음으로 교사생활을 시작하면 첫 3년은 아주 불안한 마음으로 보내게 마련이다. 미국의 국민학교 교사들은 첫 3년간의 교사생활을 무사히 마치면 그때부터는 종신제 교사가 된다. 재계약 문제로 고민하며 일하지 않을 수 있도록 교사의 신분을 철저하게 보장해 주는 것이다.

그래서 미국 학교에서는 '3년 하고 하루만 더 지나면 안심이다.' 라는 뜻에서 '3년 하고, 하루(three years and a day)' 라는 말을 자주 쓴다.

미국의 햇병아리 교사들은 사범대학을 마치고 학교에 취직이 되어 일하기 시작하고 나서 1년을 마칠 때까지는 아주 조마조마한 심정으로 보낸다. 1년이 지나고 나서 재계약을 한다는 연락이 오지 않으면 어떻게 하나 하는 걱정이 떠나지 않기 때문이다.

경력이 3년이 되지 않은 신임 교사들은 매년 평가를 받아야 한다. 이들이 실제로 진행하고 있는 수업에 교육감, 교장 등이 참관을 하는데 신임교사로서는 이때 매우 긴장을 하게 된다.

참관단들은 교사가 수업을 시작하기 2~3분 전에 교실에 먼저 들어가 있다. 이들은 펜과 메모지를 들고서 뒤에 앉아 있는데 이날 수업을 하는 교사는 겉으로야 자연스럽게 수업을 하려고 하지만 속으로는 아주 죽을 지경이다.

교장과 교육감 등 신임 교사의 수업을 참관한 사람들은 이날 수업을 참관하고 느낀 내용을 48시간 이내에 담당 교사에게 알려주어야 한다.

참관자들은 교사의 수업을 보면서 몇 가지 부분에 중점을 두고 유심히 관찰한다. 먼저 가장 중요한 것은 수업 내용이다. 그리고 교사가 그 내용을 얼마나 제대로 소화하고 있는가 하는 것도 매우 중요하다.

학생들과의 의사소통은 제대로 되고 있는지, 즉 교사와 학생간의 상호작용은 원활한가 하는 것도 중요한 관찰 대상이다.

교사의 외모도 중요하다. 체육교사를 제외하고는 미국의 교사들은 모두 넥타이를 매고 정장을 해야 한다는 것이 일종의 불문율이다. 청바지를 입고 교단에 서는 것은 안된다. 어린이의 눈에 비친 교사의 시각적인 이미지도 어린이들에게 매우 중요한 영향을 미치기 때문이다.

교사의 목소리나 말하는 태도도 중요한 평가의 포인트이다. 교사의 목소리가 학생들의 귀에 어떻게 들리는가 하는 것도 매우 중요한 문제이기 때문이다. 목소리가 너무 작거나 발음이 분명치 않아 아이들이 알아듣기 어려우면 이러한 부분도 참관단으로부터 지적을 받게 된다.

이 모든 사항에 대해서 참관자들이 점수를 매긴다. 각 문항에 대해서 '괜찮다'와 '그렇지 않다'로 나누어 채점을 하고 그것을 바탕으로 전체적인 코멘트를 한다. 이 코멘트의 내용은 아주 상세해서 대개는 한 페이지를 넘을 정도로 분량이 많다.

마지막 부분이 교사에게 주는 충고인데, 이 난에서는 어떤 분야가 특히 좋았다는 것을 칭찬해주기도 하고 또 어떤 분야에서는 좀더 노력이 필요하다는 식으로 지적을 해준다.

교사는 이 평가를 읽어보고 나서 사인을 하게 되는데 이 내용을 그대로 수용할 수 없다고 생각되면 즉시 항의를 하기도 한다.

나도 교사로 일하기 시작했던 첫해와 그 다음해에 이와 같은 참관수업을 받았었다. 첫해에 교장은 내게 이런 코멘트를 해주었다.

"미국에 온 지도 얼마 안되는데 그 짧은 기간 안에 이 정도로 미국의 문화에 적응하여 교사로서의 능력을 발휘한 데 대해 감탄한다."

몇 가지 충고도 있었다. 내가 첫해에 아이들을 다루는 문제로 얼마나 어려워했는가를 잘 아는 교장은 내게 '앞으로 다른 교사들이 학생들을 지도하고 이끌어가는 방법을 잘 관찰하는 것이 좋겠다.' 는 충고를 해주기도 했다.

그렇게 3년을 마치고 다시 교사로 재임용이 되면 그때부터는 안심해도 좋다. 형법에 저촉되는 일을 저지르지 않는 한 교직에서 추방될 염려는 없기 때문이다. 그것은 법적으로 종신직을 보장받은 것이나 다름없다. 이와 같은 조처는 교사들이 일생동안 불안감을 느끼지 않고 아이들을 가르치는 일에 전념할 수 있도록 하기 위한 배려에서 나온 것이다.

그러나 이 방식에 대해 이의를 제기하는 사람들도 꽤 있다. 그런 식으로 교사들을 보호해주니까 결과적으로 나태해져 더 이상 노력을 하지 않는 경우가 많다고 보는 것이다.

그렇다고 해서 아무런 노력도 하지 않는 교사들을 그대로 두고 보기만 하는 것은 아니다. 매년 봉급을 조정하는데 이때 교사들의 노력을 상당 부분 반영해서 문제가 있는 경우에는 승급을 시키지 않는 등 적절한 조치를 취하기 때문이다.

학생들마다 공부 스타일 다르다

국민학교 교사로 일할 때의 일이다.

우리 학급의 한 아이는 수업시간이면 늘 무엇인가 열심히 받아쓰곤 했다. 그 아이가 그토록 부지런히 필기하는 모습을 보고 있으면 교사인 나조차도 의문이 들 지경이었다. 도대체 무엇을, 왜 저렇게 열심히 받아 적는 것일까. 내가 하는 말 중에 받아써야 할 것이 뭐 그리 많다고.

이 아이의 고집은 아주 대단해서 수업시간에 슬라이드나 영화를 보기 위해 불을 꺼도 그 어두운 속에서 무언가를 적어 나갔다. 사실 이러한 습관은 비단 한 아이에게서만 나타나는 것이 아니다. 교사로 일하는 동안 그 아이 말고도 여러 명이 그런 식으로 공부한다는 것을 알고 있었다.

재미있는 것은 그런 아이들 대부분이 수업시간에 필기한 것을 나중에 다시 보지는 않는다는 것이다. 나는 실제로 그 중 한 아이를 붙들고 물어보았다.

"집에 돌아가서 필기한 것을 다시 보며 공부하니?"

그 아이는 쑥스럽게 웃으면서 "아니요."라고 대답했다.

그렇다면 도대체 무엇 때문에 그렇게 열심히 적고 있는 것일까. 그것은 그 아이 나름의 정보 처리 방식이자 집중방식인 것이다. 아이는 필기를 함으로써 교사가 하는 말이나 수업시간에 배운 내용을 더 강하게 머릿 속에 남길 수 있는 것이다.

아이들이 공부하는 스타일은 몇 가지로 나눠볼 수 있다. 우선 눈으로 보는 것을 좋아하는 아이들이 있다. 이런 아이들은 칠판에 무언가 써준다든지 그림을 보여준다든지 책을 보게 한다든지 하는 식으로 눈을 통해 정보를 전달받고 자극을 받는 것을 즐기고 그렇게 할 때 학습효과를 많이 얻는 스타일이다.

두 번째로 듣는 쪽을 좋아하는 아이들은 역시 교사의 설명을 듣고 무언가 읽어주는 것을 즐긴다. 이들은 무엇이든지 말로 설명해주는 것을 좋아하는 아이들이다.

세 번째 스타일은 직접적인 행동을 통해 배우는 아이들이다. 이런 아이들에게는 실제로 어떤 행동을 해보게 한다든지 어떤 형태로든 몸을 움직이는 방법을 곁들이는 쪽이 교육효과가 높다. 그 과정을 통해서 아이들은 자극을 강하게 흡수하기 때문이다.

또 한 가지 형태는 본인이 직접 쓰면서 익히는 것을 좋아하는 아이들이다. 이런 아이들이 앞서 말한 스타일, 즉 수업시간에 열심히 필기를 하는 아이들인데 공부를 할 때도 늘 연습장에 써가면서 하려는 아이들이 바로 이런 스타일에 속한다.

그러나 이런 여러 가지 스타일 중 어느 것이 더 학습에 효과적이라고 단정할 수는 없다. 또 그럴 필요도 없다. 교사는 아이들의 스타일을 잘 파악해서 가능하면 다수의 아이들이 효과를 얻을 수 있는 방식으로 수업을 이끌어가면 되는 것이다.

아이들 중에는 또 교사에 대한 의존도가 아주 높은 아이들이 있는가 하면 교사가 간섭하는 것을 싫어하고 혼자서 하는 것을 더 좋아하는 아이들도 있다.

독립적으로 자기 할 일을 해나가는 쪽을 선호하는 아이들은 공부도 혼자 알아서 하도록 내버려두는 쪽이 더 효과를 볼 수 있는데 이런 아이들을 지도하는 데는 그다지 큰 어려움이 없다.

그러나 의존형 아이들의 경우에는 문제가 다르다. 이런 아이들을 그대로 내버려두면 교사의 도움에 지나치게 의존하게 된 나머지 스스로 공부하는 것에 불안을 느끼는 상태에 이를 수도 있다. 이런 아이들은 수업시간이나 쉬는 시간에 틈만 나면 교사를 찾아와 확인받고 싶어한다.

독립적인 아이들은 사회성이 떨어지지 않도록 돌보아주고 의존형의 아이들에게는 불안을 덜어주면서 스스로 할 수 있는 길을 열어주는 것, 아이들의 특성에 맞는 공부방법을 지도하는 것 또한 교사들이 해야 할 중요한 임무이기도 하다.

총체적 언어교육 방법의 등장

미국 어린이들이 학교에 입학하여 가장 먼저 받는 영어교육이란 소리와 문자를 일치시키는 과정이다. 이들에게는 영어가 모국어이니 말을 하는 데 문제가 거의 없음은 물론이다. 아이들은 자신들이 내고 있는 소리에 맞는 문자가 무엇이며 자신들이 말하고 있는 단어의 정확한 스펠링은 무엇인가를 찾아나가는 것이다.

예를 들어 아이들이 [p]라고 내는 소리는 p로 쓴다는 식으로 맞춰 나가는 것이다. 이 과정 역시 어린아이들에게는 그리 쉬운 일은 아니다. 소리에도 워낙 종류가 많고 자음 모음이 겹치기 시작하면 아주 복잡한 과정을 거쳐야 한다.

이러한 부분에 중점을 두는 영어교육 방식을 파닉스(Phonics)

라고 한다. 1920년대에서 1930년대까지의 시기는 미국 학교 교육에서 파닉스가 전성기를 구가한 시대였다. 그리고 그러한 경향은 지금도 상당 부분 지속되고 있다. 미국의 각 학교들은 전력을 기울여 파닉스를 교육했는데 아이들은 학교에 오면 늘 모음과 자음의 용법에 대해 공부하지 않으면 안되었다.

ai는 어떤 발음이 나느냐, au는 어떤 소리인가 등등을 치밀하게 공부하는데 이런 식의 학습방법을 좋아하는 아이들은 사실 하나도 없다. 끊임없이 비슷한 공부를 하고 스펠링을 외워야 하기 때문에 아이들은 영어책만 펴면 하나같이 얼굴을 찡그리고 지겨워한다.

게다가 파닉스의 교과서는 괄호 넣기와 줄 긋기의 연속이라고 해도 과언이 아닐 정도로 이런 연습으로 가득 차 있다. 그래서 아이들은 그 연습문제가 담긴 책만 들이대면 다 고개를 설레설레 저었다. 교사들로서도 그 작업이 중요한 줄은 알지만 아이들이 재미를 느끼지 못하니 큰 성과를 기대하기 어려운 것이 문제였다.

파닉스의 학습 방법이 안고 있는 가장 심각한 문제는 파닉스에 중점을 둔 교육을 충분히 받은 사람들의 경우에도 영어로 쓰인 문건을 읽고 이해하는 능력이 제대로 발전되지 않는다는 데 있었다. 처음 파닉스 교육을 실시할 때만 해도 발음 하나하나를 정확하게 익히고 단어를 받아들이는 과정을 공부하고 나면 문장을 이해하는 능력도 따라서 발달되리라고 기대했었다.

파닉스의 기법은 사실상 도막도막 나뉘어진 부분을 하나로 잇는 것인데 낱말에 'ing'를 붙여서 동명사를 만든다거나 단어의 앞에 'in'이나 'im'을 붙이면 부정의 뜻을 갖게 된다든지 하는 식으로 모든 분야를 세세하게 나눠 공부시키는 것이었다.

파닉스주의자들은 어쨌든 이런 부분 부분의 내용을 열심히 공부하다 보면 결과적으로 글을 이해하는 능력도 저절로 키워질 것으로 보았으나 사실은 그렇지 않았다.

1970년대 후반부터 미국에서는 파닉스 중심의 영어교육이 안고 있는 문제가 심각하게 논의되기 시작했다. 파닉스 교육만으로는 우리가 살아가면서 정말로 필요한 독해력을 키우기 어렵다는 데 많은 학자들이 공감하기 시작했다.

파닉스 교육의 한계를 지적하는 사람들은 강력하게 문제를 제기했다. 파닉스 교육을 받은 사람들이 책은 멋지게 읽어낼 수 있을지 모르지만 사실 그 내용을 파악하지 못해 내용을 물으면 엉뚱한 대답을 한다는 것이다.

1970년대 후반에서 80년대 초반에 들어 이 움직임은 더욱 구체화되었다. 기존의 영어교육 방식에 회의를 느끼는 사람들은 적극적으로 새로운 방식을 모색하게 되었다.

그들 주장의 요지는 책을 읽는다는 것은 단순히 정확한 소리를 내고 그 소리를 즐기는 것이 아니라 의미를 파악하는 것이어야 한다는 것이다. 한 마디로 그 글이 담고 있는 메시지를 파악하지 못하는 한 그 사람이 읽기 능력을 갖췄다고는 보기 어렵다는 것이다.

따라서 진정한 의미 파악 능력을 키워주자는 움직임이 나타났다. 이것은 비단 읽기에만 국한된 것이 아니다. 듣기에 있어서도 마찬가지다. 어떤 소리를 정확하게 받아쓸 수 있다고 해서 그 사람이 듣기 능력을 갖춘 것은 아니다. 그 말이 어떤 의미인가를 알아들을 수 있어야 진정한 듣기 능력을 갖춘 것이다.

그렇게 해서 등장한 것이 바로 총체적 언어 철학(Whole

Language)이었다. 총체적 언어교육 철학은 학교에서 10여 년 영어공부를 했어도 신문 사설 하나 제대로 이해하지 못한다면 영어교육에 분명 문제가 있는 것이니 이 점을 개선해 나가야 한다는 주장이었다.

총체적 언어교육을 주장하는 이들은 그렇다고 해서 파닉스의 완전 철폐를 주장한 것은 아니었다. 부분적으로는 파닉스의 필요성이 있지만 그것이 영어공부의 중심이 되고 전부가 되어서는 안 된다고 주장한다.

오늘날 미국의 고민 중의 하나는 그 나라의 덩치나 선진성에 맞지 않게 문맹자의 수가 날로 늘어나고 있다는 점이다. 또 글을 읽을 줄 안다고 해도 어떤 텍스트를 읽고 나서 저자의 의도를 읽어내지 못하는 것은 물론 이와 더불어 자신의 사고로 추리하는 능력이 부족한 사람이 너무나 많다.

이 심각한 현상을 바로 잡기 위해 총체적 언어교육 방식을 주장하는 이들이 새로운 교육방식을 제안하기에 이른 것이다.

이들은 '아기를 목욕시키고 난 물을 버릴 때 아이까지 버려서는 안된다'(Don't throw out the baby with the bath water.)는 미국 속담을 기억하면서 파닉스의 장점은 그대로 지키되 여기에 새로운 교육방식을 더하자고 제안하고 있다.

그 새로운 방식이란 다름 아닌 재미있는 텍스트를 교과서로 삼아 아이들이 흥미를 느끼면서 독해력을 기를 수 있도록 해주자는 것이다. 파닉스를 가르치기는 하되 과도하게 치중하지 말 것, 파닉스 그 자체를 위한 파닉스는 지양하자는 것이 바로 총체적 언어 철학자들의 주장이다.

나는 요즘에 와서야 한국에서 뒤늦게 파닉스 바람이 불고 있다는 이야기를 들었다. 한마디로 걱정스러운 일이 아닐 수 없다. 영어의 본고장인 미국에서조차도 문제가 있다고 생각돼 보완책을 심각하게 마련하고 있는 마당에 한국에서 그것을 별다른 고려없이 그대로 흡수한다면 문제가 크기 때문이다.

게다가 파닉스는 미국이라는, 영어를 모국어로 사용하는 나라의 아이들에게 적합하게 만들어진 것이므로 그것을 도입할 때는 심각하게 고려해 보아야 한다. 그리고 이미 그 방식으로 공부를 하고 있다면 역시 그 효과에 대해 점검해볼 필요가 있다고 생각한다.

미국에서 총체적 언어 프로그램이 처음 시작된 것은 1960년대 애리조나 대학의 케네스 굿맨 교수에 의해서였다. 당시만 해도 그의 주장은 크게 지지를 얻지 못했으나 미국의 전통적인 영어교육 방식의 문제점이 점차 심각한 문제로 등장하면서 그의 주장이 주목을 받게 되었다.

그리고 1980년대에 들어서면서 총체적인 언어교육 프로그램은 본격적으로 퍼져 나가기 시작했다. 이 방식에 따라 영어교육을 실시해본 미국 교사들의 반응은 이 프로그램이 학생들이 글을 읽고 이해하는 능력을 향상시키는 데 크게 기여하고 있다는 것이었다. 그 결과를 인정한 미국의 많은 사범대학에서는 이 프로그램에 따라 교사들을 재훈련시키는 과정이 늘어나고 있다.

내가 처음으로 총체적 언어교육 철학에 접한 것은 1970년대 초반이었다. 당시까지만 해도 나는 기존의 영어교육 방식대로 아이들을 가르치고 있었다. 그때 서서히 총체적 언어교육 철학이라는 말이 교실 안으로 들어오기 시작했다.

종전의 영어교육 방식을 바꾸자는 이야기가 조금씩 나오기 시작하면서 총체적 언어교육 방식에 대한 워크샵도 열리기 시작했다. 늘 새로운 것에 흥미를 느끼는 데다 그것이 영어에 관한 것이라니 더욱 마음이 끌려 나도 그 워크샵에 한두 번 참가하게 되었다.

그때 이미 총체적 언어교육 철학에 의해 영어를 지도하는 방법을 강의하는 교사들이 있었으니 그 움직임은 상당히 진전된 상태였다. 나는 점점 더 새로운 방식의 영어교육 철학에 이끌려 들어갔다.

기존의 영어교육 방식이 단어, 문법, 읽기, 쓰기 등을 하나하나 교육하면서 이것이 자연스럽게 서로 연결되기를 기대하는 방법이라면, 새로운 방식은 가르칠 때부터 이 모든 것을 따로 떼어 생각하지 않고 하나로 통합하여 가르치는 것이었다.

나는 스스로 총체적 언어교육 철학에 바탕을 둔 새로운 방식으로 수업을 진행해 보았다. 기존 방법과 비교할 때 교사로서도 재미를 느낄 수 있었고 아이들로부터 오는 반응도 좋았다. 학습 효과도 훌륭하다고 판단했지만 문제는 수업준비에 훨씬 더 많은 시간이 걸린다는 점이었다.

교사 자신이 창조적이지 않으면 수업을 진행하는 것 자체가 어려우므로 생각하는 방식 자체를 뒤집어야 할 때도 많았다. 사실 미국의 교사들에게는 완전하게 짜여진 교육 자료가 공급되고 있기 때문에 따로 수업진행 문제에 대해 고민할 필요가 없었다.

교과서가 있으면 거기에 필요한 연습문제가 담긴 책이나 자세한 지도방침을 담은 참고 자료 등이 동시에 제공되기 때문에 그 지침에따라 가르치면 그만이었기 때문이다. 이 교재에는 아예 시험문제까지 세트로 공급되기 때문에 교사로서는 더할 나위 없이 편한 상태에 있다.

그러나 그러한 방식은 너무 오랫동안 진행되어 왔기 때문에 아이들도 흥미를 잃은 지 오래이고 교사들도 그저 습관대로 수업을 해왔을 뿐이었다.

나는 총체적 언어교육 방식에 따라 기존의 교과서가 아닌 다른 책을 교재로 사용하기 시작했다. 아이들의 반응은 놀라울 만큼 좋았다. 자신들이 좋아하는 이야기 책을 가지고 공부하게 되니 당장 재미가 느껴지는 모양이었다. 문법이나 단어를 끊임없이 연습시키는 문제집에서 탈출하게 된 것도 아주 유쾌한 모양이었다.

아이들로 하여금 작문을 하게 하고 그것을 돌려가며 읽어보게 했더니 아이들은 시간이 날 때마다 다른 아이들이 쓴 글을 읽어보려고 야단이었다. 나는 아이들의 반응을 보고 이 새로운 교육방식이 성공할 수 있으리라는 기대를 하게 되었다.

흥미를 느껴야 공부가 잘된다

미국의 국민학교 아이들이 지긋지긋해 하는 것 중의 하나가 바로 연습문제집(Workbook)이다. 온통 가로 넣기와 줄 긋기로 채워진 이 연습문제집을 대하면 아이들은 하품부터 한다.

사실상 이 연습문제집은 아이들의 생각과는 아무 연관도 없는 문제들을 잔뜩 담아놓은 책이다. 아이들이 교과서에서 읽은 내용과도 무관하다. 그러다 보니 아이들은 "도대체 무엇 때문에 이 연습문제들을 풀어야 하느냐?"고 푸념하기 일쑤이고 당연히 학습효과도 뒤떨어진다.

도막도막 나뉘어진 내용은 아무리 공부해도 영어실력 전체를 향상시키는 데는 크게 기여하지 못하기 때문이다. 또 아이들은 이 공부를 하는 과정에서 응용하는 방법을 전혀 배우지 못한 채 단순작업을 하고 있으니 어떤 글을 읽고 전체적인 내용을 스스로 터득하는 단계에 이르지 못하는 것이다.

직접 교단에서 아이들을 가르치는 교사로서 나는 이 문제를 보완하지 않으면 안된다는 문제의식을 갖고 있었다. 그러다가 총체적 언어교육 철학을 만나면서 나의 고민은 해결의 실마리를 찾기 시작했다.

일단 재미있는 교재, 아이들이 읽고 싶어하는 교재를 사용하니까 반응이 확 달라졌다. 아이들은 눈을 반짝반짝 빛내며 수업에 몰입하기 시작했다.

나는 이 긍정적인 반응에 힘입어 아이들에게 작문을 시켜 보았는데 역시 효과가 좋았다. 아이들이 원하는 주제를 택하게 한 전략이 주효했다.

나 스스로도 깨달음을 얻게 되었다. 교사가 설정한 주제가 아니라 아이들이 가장 흥미를 느끼고 있는 주제를 고르니 아이들이 적극적으로 변했다. 그것은 아주 중요한 변화였다. 교사가 가르치는 것을 수동적으로 받아들이고 억지로 공부하던 아이들이 스스로 알아서 능동적으로 공부할 수 있는 '독립적인 학습자'로 변신할 수 있다는 가능성을 보여주었기 때문이다.

나는 이것이야말로 가장 적절한 교육방법이라는 생각을 하게 됐다. 스스로 공부할 수 있는 힘을 기르고 또 그렇게 하고 싶다는 의욕을 갖게 된다면 그 이상의 바람직한 효과는 없을 것이기 때문이다.

교사는 학생들의 관심 끌게 가르쳐야

나는 그때부터 더 적극적으로 총체적 언어교육 프로그램 워크샵을 찾아 다녔다. 아쉬웠던 것은 다른 교사들 중에 나만큼 적극적으로 관심을 느끼는 이가 그리 많지 않다는 점이었다.

나 말고는 우리 학교에서 두 명이 더 그 워크샵에 관심을 보였는데 그 외의 교사들은 기존의 방식을 그대로 유지하는 쪽을 택했다. 새로운 방식에 관심을 기울이지 않고 늘 하던 대로 하고 있었다.

아마도 그들은 변화가 두렵고 귀찮아서 현실에 안주하고 싶었는지도 모른다. 나는 대학으로 온 이후에도 가끔 교사들의 생각을 알아보기 위해 국민학교 교사들을 만나보곤 하는데 그들 중에는 아직도 기존 방식을 고수하고 있는 사람들이 의외로 많았다.

지난 93년의 통계를 보면 아직도 96%의 교사들이 기존 방식 그대로 영어교육을 실시하고 있다고 한다. 지난 94년에는 그 비율이 80%선으로 내려 갔지만 아직도 총체적 언어교육 프로그램의 갈 길은 먼 셈이다.

똑같은 국민학교 교사 경험이 있는 나로서 그들의 태도가 이해되지 않는 것도 아니다. 미국에서 국민학교 교사생활을 하는 것은 그리 어려운 일이 아니다. 아주 편하게 그 생활에 안주하자고 작정을 해버리면 사실 그것만큼 편한 일도 없다.

가르친다는 것은 어떻게 보면 창조적인 일이기도 하고, 또한 배우는 일이기도 하다. 가르침을 통해서 또다른 세계와 만난다. 그곳에 기쁨이 있다. 나는 다시 태어나도 이 편하지 않은 일을 할 것이다. 특히 장차 교사가 될 사람들을 가르치는 일에 나는 무상의 보람을 느낀다.

편한 길을 놓아두고 교재 개발은 물론 교수 방법 자체가 창조적으로 변해야 하는 수고스러운 총체적 영어교육 방식을 받아들인다는 것이 어렵기는 할 것이다. 그래서 그들 중에는 새로이 불어닥치고 있는 총체적 언어교육 방식의 바람만 어떻게 피하면 또

뉴저지 주 공립학교 교사로 재직하고 있을 때의 하광호 교수(맨윗줄 오른쪽에서 두번째). 18명의 교사 중 동양인이라곤 딱 한 사람이다.

그런 대로 살아갈 수 있지 않을까 하는 기대를 하는 사람들도 꽤 있는 것이 사실이다.

내가 지금 대학에서 가르치고 있는 학생들은 사범대학의 학생들이니 결국 예비교사들인 셈이다. 나는 그들에게 기존의 방식에 안주하지 말라고 격려한다. 또 기존의 방식을 완전히 배척하며 새로운 방식만 고집하는 융통성 없는 태도도 취하지 말라고 충고해준다.

"여러분들이 교사가 되면 아마 학교에서 교재를 한 세트씩 안겨줄 겁니다. 그때 그것은 싫다든지 필요 없다든지 하는 식으로 거부반응을 보이지 마십시오. 그 안에도 학생들을 가르치는 좋은 방법이 있고 또 교재들 중에도 쓸모 있는 것이 있으니 그것을 충분히 활용해서 총체적 언어교육 방식에 포함시키면 되는 것이지요."

미국 영어교육의 문제는 사실 교사들에게 주어지는 그 완벽하게 짜여진 교재 때문에 발생하는지도 모른다. 주(週) 단위로 치밀하게 구성된 자료를 따라 교사들은 그럭저럭 수업을 꾸려 나간다.

그러나 문제는, 교사는 정해진 대로 진도를 따라 나가지만 아이들에게는 진전이 없다는 것이다. 이 문제를 해결하려면 중간 단계로서 먼저 기존방식과 총체적 교육방식을 적절하게 혼합하여 아이들을 지도하는 것이 매우 중요하다고 생각한다.

갑자기 전부 다 바꿔 버리자고 하면 누구나 다 거부감과 불안감을 느껴 오히려 배척하게 된다. 그러니까 기존의 방식을 수용하면서 새로운 프로그램을 짜는 방식이 필요하다.

나는 사범대학 영어과 학생들에게 될 수 있으면 교과서 안의 이야기는 사용하지 말라고 권하고 있다. 서점에 가서 아이들이 재미있게 읽을 수 있는 이야기가 담긴 동화책이나 소설 같은 책을 골라서 교재로 활용하라고 지도하고 있다.

아이들이 평상시에 재미로 읽는 책을 교실로 들여오면 아이들은 가장 생생하고 재미있게 공부를 할 수 있다. 그렇게 좋은 교재를 두고 왜 일부러 재미없게 아이들을 가르치는가. 먼저 아이들의 관심을 끄는 것, 그것은 훌륭한 교사라면 놓쳐서는 안될 최상의 지도 전략일 것이다.

내가 대학에서 가르치는 과목들

내가 요즘 미국의 사범대학 영어과 학생들을 대상으로 강의하는 과목은 The English Language Arts and Reading 과 Advanced Reading and the English Language Arts Methods(상급 영어학습 지도법)이다. 주로 상급반과 대학원 학생들을 대상으로 한다.

The English Language Arts라고 하면 한국어로는 번역이 불가능한데 크게 보면 '영어학습 지도법'이라고 할 수 있다. 이 과정은 유치원에서부터 9학년까지의 학생들에게 영어를 지도하는 방법이다.

총체적 언어 철학에 따라, 듣기·읽기·쓰기·말하기 등 언어의 네 가지 측면을 동시에 학습할 수 있는 방식을 지도하는 것으로 의사소통의 수단인 언어를 학습시키는 지도방식을 의미하는 것이다.

뉴욕주립대 포츠담 캠퍼스 입구에 서 있는 하광호 교수

Reading 역시 한국말로 직접 번역해서는 뜻이 잘 전달되지 않는 독특한 말이다. 단순히 '읽기'로 변역할 수 있는 것이 아니다.

'읽기', '독서', '독해', 그 어느 것도 Reading의 정확한 의미를 전달해주지는 못한다. 이 모든 것을 다 포함하는 이상의 의미를 갖고 있다.

Reading이라는 언어의 한 분야가 중요한 이유는, Reading이야말로 인간의 모든 문화를 전수해주는 중요한 수단이기 때문이다.

만일 인간이 기록을 하지 않고 그것을 읽어서 이해하는 과정이 없다면 문화의 전수란 사실상 거의 불가능하다. 기록이 있고, 그것을 읽을 수 있기 때문에 문화가 유지·보존되고 나아가 발전하는 것이다.

일반적으로 독해능력은 두 단계로 나뉘어진다.

1단계는 표면적인 이해에 머무르는 것을 말하는데, 글쓴이가 이용한 언어 그 자체에만 의존해 뜻을 파악하는 것이다.

2단계는 거기서 한 발 더 나아간 것으로서, 같은 단어라도 필자의 의도에 따라 그 의미가 달라진다는 것까지 심층적으로 이해하는 것을 말한다.

따라서 Reading 교육이란 이와 같은 2단계의 심층 이해능력을 키워주기 위한 것이다. 미국에서는 Reading 분야에서 어려움을 겪고 있거나 문제가 있는 아이들을 따로 지도하는 독서지도 전문가(Reading Specialist)가 전문 영역으로 자리를 잡은 상태이다.

글을 읽고서도 그 의미를 제대로 이해할 수 없는 사람들은 사실상 사회에서 살아남기 어려운 것이 현실이다. Reading이 불가능하면 글을 쓰는 것도 거의 불가능하기 때문이다.

최근에 발표한 한 연구 결과에 의하면, 책을 많이 읽고 효율적으로 읽은 사람들이 대부분 글을 쓰는 데도 그만큼 훌륭하다고 한다. 훌륭한 작가는 거의 다 남의 작품을 수도 없이 읽은 사람들이다.

이 이야기는 결국 읽기와 쓰기의 밀접한 관련성을 다시 한 번 입증해주고 있다.

정확한 독해는 지식과 추리 능력 필요

독해를 잘하려면 광범위한 지식이 필요하다. 또한, 그 지식을 바탕으로 응용하거나 추리할 수 있는 능력이 있어야 한다. 실제적인 독해 과정을 살펴보기로 하자.

Leslie opened her umbrella just in time and held it tightly.

(Leslie는 때 맞추어 그녀의 우산을 폈고, 그것을 꼭 잡았다.)

여기서 Leslie가 'her' 라는 대명사 때문에 여자임을 알 수 있으나, 장소를 밝혀주는 낱말이 없어 어디에 있는지는 알 수 없다. 그러나 상식적으로 Leslie는 집 밖에 있고, 그것도 빗속을 걷고 있음을 알 수 있다.

'opened her umbrella' (그녀의 우산을 폈다.) 이것만으로는 아직 집 밖이라고 단정할 수는 없다. 그러면 다음을 보자.

'just in time' (꼭 때를 맞추어)이라는 뜻을 포함시킨 'opened her umbrella just in time' (꼭 때를 맞추어 그녀의 우산을 폈다.)라는 표현을 보면 Leslie가 있는 곳이 집 밖인 것은 물론, 비까지 오고 있음을 알 수 있다.

'held it tightly' (단단히 잡았다.)로 보아 그녀는 우산 손잡이를 단단히 잡았고, 따라서 바람이 분다는 것을 알 수 있다.

'just in time' (꼭 때를 맞추어)은 갑자기 비가 내리기 시작했다는 추리를 가능하게 한다.

이렇게 짧은 윗글 중 '여자, 장소, 바람' 등 구체적인 단어가 없음에도 불구하고 이와 같은 독해가 가능한 것은, 독자의 지식, 그리고 그 지식을 통한 여러 상황에 맞는 추리가 가능하기 때문이다.

독해의 필수 조건에 포함되는 두 가지 주요 요소는 언어학적 지식(Linguistic Knowledge : 낱말 지식을 포함한 광범위한 문법 지식, 문장 구조지식, 의미론의 지식 등)과 언어 추리력(Verbal Reasoning)이다.

한 문장이나 한 단락의 독해가 가능하기 위해서는 기여 조건을 크게 다음 세 가지로 분류할 수 있다.

첫째, 언어학적 지식이란, 한 문장의 구조에 관한 지식과 그 문장이나 단락 속에 사용되는 모든 낱말들의 분명한 이해이다. 여기서 낱말이란, 문맥과 연결되지 않은 단순한 사전적 의미가 아니라, 문맥에 합당한 의미와 숙어 또는 관용구까지도 포함한다.

둘째, 문장에 의한 추리란, 그 문장을 구성하고 있는 모든 낱말이 전해주는 한정된 정보에 의해서만 할 수 있는 추리이다. 낱말의 본래적 의미를 초월하여 같은 낱말의 내포적 의미를 활용함으로써 표면적으로는 진술되어 있지 않은 숨은 정보를 찾는 것이다.

셋째, 지식에 의한 추리는 낱말의 의미를 글쓴이가 제공하는 정보에 의지해서는 도저히 추리할 수 없고, 독자 스스로의 지식에 의해서만 가능할 수 있는 추리이다.

문법을 포함한 언어학적 지식을 통해 파악할 수 있는 의미를 살펴보자.

Leslie opened her umbrella just in time and held it tightly.

11개의 낱말로 구성된 윗글에서, 먼저 Leslie는 한 사람의 이름이라는 것과, 'umbrella'와 'opened umbrella', 'just in time', 그리고 'held tightly'의 의미들은, 먼저 이 글에서 무엇이 일어나고 있는지를 결정해주는 중요한 정보임을 알아차릴 수 있다.

이와 같은 종류의 독해는 낱말, 숙어, 관용구 등의 의미만 알면 쉽게 할 수 있는 수준의 독해이다. 즉 글쓴이가 쓴 낱말을 이용하여 답이 가능할 수 있게 해준다.

둘째, 문장에 의한 추리는 문장이 제공해주는 정보에 의해서만 가능한 추리로서, 다음과 같은 예로 설명될 수 있다.

뉴욕주립대 포츠담 캠퍼스에서 영어 교사지망 사범대 학생들을
가르치고 있는 하교수.

Leslie opened her umbrella just in time and held it tightly.

윗글에서 'her' 라는 대명사 때문에 Leslie가 여자임을 암시하고 있다.

여기서 특히 명심할 것은, 글쓴이는 항상 암시하는 입장이며, 독자는 그 암시에 따라 추리하는 입장이라는 것이다.

'opend her umbrella just in time' 의 낱말은 두 가지를 암시한다. 하나는 'Leslie가 집 밖에 있고, 또 하나는 갑자기 비가 오기 시작했다.' 라는 것이다.

'held it tightly' 의 낱말 역시 Leslie가 '한 손 또는 두 손으로 우산 손잡이를 단단히 쥐고 있음' 을 암시한다.

글쓴이는 'handle' (손잡이)이라는 구체적인 낱말은 쓰고 있지 않지만 'held it' 가 곧 'held the handle' 을 암시하고 있음을 추리할 수 있다. 또, 'held it tightly'는 그날은 비 뿐만 아니라, 바람까지 부는 날이라는 것까지 추리할 수 있다.

셋째, 지식 또는 체험에 의한 추리는 다음과 같은 예문을 분석함으로써 쉽게 알 수 있다.

Of the three girls, only Susan can reach the shelf on which their mother keeps the cookies.

위의 문장을 읽고 다음 5개의 문장 중 어느 것이 본문과 맞는 것인지 골라 보자.

1. The three girls are in a living room.
2. The three girls are in a kitchen.
3. The two girls are Susans' friends.
4. Susan is as tall as the other girls.
5. The cookies are in a container that has been put on a shelf.

그러나 문장 속에 있는 낱말만 가지고는 이 문제의 답을 고르기는 쉽지 않다.

①은 "그 세 소녀가 거실에 있다."이다. 그러나 본문 내용은 이 소녀들이 지금 쿠키(과자류)를 꺼내 먹으려는 상황이다. 그러나 미국에서는 과자 따위를 거실에 보관해두는 경우는 좀처럼 없다.

②는 "세 소녀가 부엌에 있다." 로 정답이다. 미국인들은 일반적으로 쿠키를 부엌에 보관하므로 이들은 부엌에 있는 것으로 추리할 수 있다 (지식 또는 체험에 의한 추리). 따라서, 독자는 이와 같은 특수 상황을 고려하여 답을 골라야 한다.

③은 "다른 두 소녀는 Susan의 친구들이다."라는 뜻이므로 역시 정답이 아니다. 본문의 'their mother'(그들의 어머니)라는 낱말로 보아 이들은 서로 자매 간이다.

④은 'Susan과 다른 소녀들은 키가 같다.'라는 뜻이므로 답이 아니다. 본문에서 'only Susan can reach the shelf'의 문장에 있는 정보에 의해 얻을 수 있는 답이므로 문장에 의한 추리이며, 이미 알고 있는 지식에 의한 추리가 아님을 명심하자.

앞서 말한 독해과정을 유념하고 다음의 문장을 예로 들어 살펴보자.

I was driving on the highway. I made sure I didn't go faster than 65 miles an hour, because that is the limit. Even so, I was soon stopped by a police officer in an unmarked car. He said his rader showed I was going 72 miles an hour. I explained I was on my way to see my mother, who is ill, but was careful not to speed. I still got a ticket.

(나는 고속 도로에서 차를 운전하고 있었다. 시속 65마일을 초과하지 않으려고 주의했는데, 그 이유는 그 속도가 바로 제한 속도이기 때문이다. 그럼에도 불구하고 표지(경찰표지)가 없는 차를 몰고 있던 한 경찰관에게 곧 정지당하고 말았다. 그 경찰관의 말에 의하면 내가 시속 72마일의 속도로 달리고 있었다는 것이었다. 나는 앓고 있는 어머니를 뵈러 가는 길이었지만 그래도 과속하지 않으려고 조심했다고 설명했다. 그런데도 결국 과속 딱지를 떼이고 말았다.)

윗글에서 다음과 같은 독해 질문을 했다고 하자.

① What kind of a ticket did the person get?
(그가 받았다는 ticket은 무슨 ticket입니까?)

② Why did the person get a ticket?
(왜 그는 ticket을 받았습니까?)

이 두 질문에 대한 답은 윗글 어느 곳에도 뚜렷하게 언급되어 있지 않다.

그러나 글 속의 상황, 즉 "I was driving on the highway."(나는 고속 도로에서 운전을 하고 있었다.), "I was soon stopped by a police officer."(나는 곧 경찰관에게 정지당했다.) 등의 정보로 미루어 보아 ①의 답은 '속도 위반으로 인한 딱지'라고 추리할 수 있으며, ②의 답은 '속도를 너무 냈기 때문에'라는 것을 추리할 수 있다.

이와 같은 독해는 글이 제공하는 정보에따라 할 수 있는 추리이다. 따라서, 독해 문제에 비교적 쉽게 답할 수 있는 문장에 의한 독해보다 한 단계 높은 수준의 사고력을 요한다.

지식에 의한 추리 독해란, 비판 독해라고도 하는데 글을 읽으면서 독자는 평가하고, 각 부분을 전체에 통합함으로써 독자 자신의 삶에서 얻은 —독서를 통해서 또는 다른 사람들로부터 듣고 알게 된— 세상에 관한 지식과 경험을 토대로 하여, 글쓴이가 글에서 제공하는 정보를 뛰어넘어서 할 수 있는 추리의 힘으로 가능해진다.

이와 같은 추리 독해로 인도하는 독해 질문을 통해 그 답을 찾아내는 과정을 알아보자.

① Why did the driver mention to the police officer that he/she was driving to see his/her sick mother?

(차를 운전하던 그 사람은 아픈 어머니를 보기 위해 차를 운전하고 있었다는 사실을 왜 경찰관에게 말했을까?)

② Why did the driver mention that the police officer was in an unmarked car?

(그 운전자는 '경찰'이라는 표지가 없는 차를 타고 있었다는 사실을 왜 말했을까?)

① 위의 첫째 질문에 답할 수 있는 정보를 본문에서는 전혀 찾을 수 없다. 글쓴이가 제공하는 'to see his/her sick mother'라는 구절의 의미를 알 수 있으면 그 정보에 따라 세상 지식(상식적인)으로 판단하여 추리할 때, "아픈 어머니를 보기 위해 생각 없이 급히 차를 몰 수밖에 없었다."라는 자식의 도리를 경찰관에게 호소함으로써 동정심을 유발하려고 했다는 답이 가능하다.

② 둘째 질문의 답 또한 본문의 표면에 드러난 정보만으로는 결코 가능하지 않다. 글쓴이가 제공하는 'unmarked car'를 기초 정보로 삼은 후 보편적 상식(대부분 논란의 여지가 거의 없이 받아들여지는 사실)을 활용하여, "경찰 표지가 있었더라면 그같은 긴급한 상황에서도 더 조심할 수가 있었을 것이다."라는 것을 독자는 추리할 수가 있다.

이와 같은 독해 문제는 고등 추리 능력을 측정하기 위해 앞으로 각종 시험 문제에 많이 출제될 가능성이 있다.

독자는 이처럼 표면에 드러난 어구에만 매달리지 말고, 자신의 보편적 지식(상식)을 충분히 활용함으로써 논리적인 고등 추리를 할 수 있도록 노력해야 한다.

영어에는 표준어가 없다

미국에서는 요즘 표준어라는 말을 잘 쓰지 않는다. 표준 영어 역시 여러 방언 중의 하나로 파악하는 것이다. 표준어에서 중요한 것은 이제 지역적인 구분이 아니라 그 말을 쓰는 사람들이다. 즉 미국의 주류 사회에서 통용되는 영어라면 다 표준어로 대우해준다.

일반적으로 텔레비전의 뉴스나 신문, 또는 학교 등에서 쓰는 영어를 표준영어라고 하는데 그것도 방언 중의 한 종류라고 볼 뿐이지 그야말로 표준적인 말이라고 받아들이지는 않는다.

따라서 영어는 어떤 사람들이 쓰는 말은 표준어이고 그 외의 것은 사투리라는 식으로 구분하는 것이 아니라 누구나 다 방언 중의 하나를 쓰고 있다고 보는 것이다.

물론 지역적인 구분은 있다. 미국에서는 지역에 따라 영어권을 세 부분으로 나눈다. 먼저 북부(The Northern Region) 영어라고 하는 것은 오하이오, 인디애나, 일리노이, 아이오와, 다코다 주의 북부에서 쓰이는 영어를 북부 영어라고 한다.

남부(The Southern Region) 지역은 북부 버지니아에서 시작해 애팔래치아 산맥 서부의 버지니아, 노스 캐롤라이나, 사우스 캐롤라이나, 조지아 주의 북부, 앨라배마 주의 중부, 미시시피, 아칸소, 텍사스 등을 포함하는 지역으로 여기서 쓰이는 영어가 남부 영어이다.

여기서 예외로 플로리다 주는 조지아 주보다 더 남쪽에 있는데도 이상하게 발음은 북부 영어에 가깝다.

중부권 영어는 남북부 지역을 제외한 중부 지역에서 쓰이는 영어라고 보면 된다.

간단하게 차이를 살펴보자. 그 전반적인 차이를 구분하기는 어렵지만 용어나 용법 상에서 뚜렷한 차이가 나는 부분이 있다.

예를 들어 북부에서는 물통을 가리켜 'pail'이라고 하는데 중남부에서는 'bucket'이라고 한다.

다이빙하다 라는 뜻의 동사 'dive'의 과거형의 경우, 북부에서는 'dove'라고 하는데 중남부에서는 'dived'를 쓴다.

발음도 약간씩 달라서, 북부에서는 'greasy'의 '-sy'부분을 북중부 일부에서는 〔-si〕로 발음하는 데 비해 남부에서는 〔-zi〕로 발음한다.

Mary(사람 이름)와 marry(결혼하다), merry(즐거운)는 북동부에서는 구분하여 발음하지만 중남부에서는 발음의 차이를 거의 느낄 수 없다.

미국에서 요즘 발간되는 사전들은 이런 흐름을 수용하여 각 지역에서 쓰이는 여러 가지 발음을 모두 싣고 있다. 결국 누구나 다 다양한 영어의 한 방언을 구사하고 있다고 보는 것이다.

따라서 이제는 표준영어(Standard English Dialect)라는 말보다는 주류사회에서 통용되는 영어(Main Stream English Form)라는 말이 더 자주 쓰이고 있다.

흑인 영어, 이렇게 다르다

소위 흑인영어(Black English)라고 하는 것은 외국인들은 알아듣기 힘들지만 미국사회에서는 의사 소통에 큰 지장을 느끼지는 않는 영어의 한 형태이다. 특히 한국인들에게는 이 흑인들 특유의 영어가 굉장히 알아듣기 어려운 영어 형태 중의 하나이다. 그래서 말을 하기도 전에 겁을 집어먹고 당황하는 경우도 종종 있는 것 같다.

그러나 여기에도 몇 가지 원칙이 있다. 그 내용을 전부 알아둘

단 어	보통 발음	흑인들의 발음
meant	-nt	[men]
vent		[ven]
sing	-ng	[sin]
asked	-skt	[akst]
fists	-sts	[fis]
tool	-l	[tu:]
help	-lp	[hep]
four	our	[fou]
guard		[gɔ:d]
road	-d	[rou]
laughed	-ft	[laf] 과거형 발음 안됨
aimed	-md	[aim] 과거형 발음 안됨
loads	d or z	[loud] 복수형 발음 안됨
holes	-lz	[houl] 복수형 발음 안됨
hits	-ts	[hit] s발음 안됨
knocks	-ks	[nok] s발음 안됨

필요야 없겠지만 예외적인 사항을 몇 가지 알아두면 그들의 영어도 큰 어려움없이 이해할 수 있다.

먼저 흑인들은 'th' 의 발음이 다르다. 특히 단어의 앞부분이 th로 시작하는 경우, 예를 들어 this나 that을 발음할 때 [ð]가 아닌 [d]로 낸다. 또 three나 thrust처럼 [θ]로 발음해야 하는 경우에 [t]로 발음하기도 한다. th가 단어의 뒷부분에 나오는 경우에는 [f]발음을 내는데, 예를 들어 Ruth를 [ruf]로 읽는다. [t]발음이 나야 하는 부분에서 [k]로 발음하는 경우도 있다. stream, straf 등이 그 예인데, 흑인들은 이것을 [skri:m]과 [skrap]으로 발음한다.

이러한 경우에는 문맥에 의지하여 알아듣는 수밖에 없다. 물론 이것은 흑인들이 갖는 구강구조로 인한 생리적인 차이 때문에 일어나는 현상은 아니고, 그들 사회에서만 독특하게 통용되는 발음을 자주 쓰다 보니 그것이 고착되어 일어난 현상일 뿐이다. 말하자면 환경의 영향 탓이다. 흑인들 중에도 정확한 발음을 구사하는 사람들도 많이 있다.

흑인들의 발음상의 차이를 표로 만들어보면 옆 페이지와 같다. 그러나 이런 경우에도 물론 스펠링은 보통 쓰이는 그대로이다.

문제가 되는 것은 문법에 영향을 주는 발음들, 이를테면 과거형이나 복수의 표현이 불가능한 경우이다.

이외에도 본격적인 문법의 차이가 있는데 먼저 가장 많이 나타나는 것은 'be' 동사를 생략하는 경우이다. "He is tired."라는 문장에서 'is'를 생략하고 "He tired."하고 "Are you playing here?"를 "You playing here?"라고 하는 식이다. "They are always messing around."를 흑인들은 "They always be messing around."라고 하거나, "Most of time, he be in the house."에서처럼 'is' 대신 'be'를

사용하여 문법을 파괴하는 경우도 종종 있다.

시제 관념이 희박한 것도 흑인들의 영어를 알아듣기 힘들게 하는 경우이다.

"He pick(s) me." "He turn(s) around." 의 경우에서처럼 3인칭 단수 현재에서 's' 를 생략하는 경우가 많다.

흑인들은 'don't' 가 들어가야 할 자리에 'am not' 의 축약형인 'ain't' 를 대신 쓰기도 한다.

"I don't teach."를 "I ain't teach."하거나 "Didn't nobody see it?."를 "Ain't nobody see it?"이라고 하는 것이다.

복수 표현에도 문제가 나타난다. 이미 복수형인 'men' 이나 'people' 을 'mens' 또는 'peoples' 라고 하여 한번 더 '복수화' 시키는 것이다.

'two' 나 'several' 뒤에 오는 단어를 복수형으로 쓰지 않고 단수로 쓰기도 하고, 소유격 'their' 나 'your' 대신에 'they' 와 'you' 를 직접 쓸 때도 있다.

"They(their) eyes are brown." 또는 "You(your) own way"라는 식이다.

문법을 파괴하는 경우도 자주 나타나는데, "He is more taller than you."처럼 이미 'taller' 로 비교급을 표시해 놓고도 불필요한 'more' 를 자주 첨가한다.

'mostly' 와 'absolutely' 도 불필요한 자리에 많이 등장한다. "That's what mostly we call them."이나 "This is dirty world 'absolutely' we live."가 그런 경우이다.

이외에도 의문문에서 'do' 와 'does' 를 생략하는 것도 흑인영어의 특징이다.

"How (does) he fix that?"

"How (does) it taste?"

불필요한 전치사가 첨가되기도 하는데, "Where were you?"를 "Where were you at?" 또는 "Where dose he work?"를 "Where he work at?"이라고 한다.

의미상 가장 큰 혼동을 주는 것은 '부정'을 두 번 사용하는 경우다. 그들이 "Nobody don't come."이라고 할 때는 사실상 "Nobody come."의 의미다.

"I ain't never had no trouble with none of them."처럼, 부정의 뜻이 마구 겹쳐서 뜻을 알 수 없는 문장으로 만들어버릴 때도 있다.

이런 식의 문법 파괴와 생략이 빈번히 등장하는 문장이 틀린 발음으로 구사되면 영어를 외국어로 배우는 이들로서는 도저히 알아들을 수 없는 얘기가 된다. 그러나 조금만 주의를 기울이면 흑인들의 영어도 생각만큼 그렇게 난해하기만 한 것은 아니다.

영어공부, 정말 어려운가

단기 기억과 장기 기억

인간의 기억장치에는 3단계가 있다. 제 1단계는 감각적인 기억, 제 2단계는 단기 기억, 그리고 제 3단계는 장기 기억이다.

제 1단계의 감각적인 기억이란 텔레비전을 켰을 때 스쳐 지나가는 어떤 장면이 기억에 잠시 남는 경우이다. 광고의 한 장면이나 배우의 얼굴처럼 그저 인상이 잠깐 남아 있는 경우이다. 그러나 이것은 학습과는 무관한 기능이므로 여기에 그치는 것은 큰 도움이 되지 않는다.

제 2단계의 단기기억은 이것보다는 좀더 오래 지속되는 기억을 말한다. 이를테면 백화점에 가서 주차를 하고 나서 쇼핑을 한 후 다시 그 자리를 찾아간다. 그 기억은 짧으면 30분에서 길면 1~2시간까지는 남아 있다. 이때 자동차를 세워둔 위치가 머릿속에 생생하게 기억된다면 그 사람은 단기 기억 능력이 매우 좋은 사람이다.

그러나 이 정도의 기억도 역시 학습에는 큰 힘이 되지 못한다. 아무리 단기 기억 능력이 좋은 사람이라고 해도 두세 달이 지나도록 그 위치를 선명하게 기억하기는 어렵다.

만일 그 사람이 그때까지도 자동차를 세워두었던 장소를 제대로 기억할 수 있다면 그 기억은 단기 기억에서 장기 기억으로 전환된 것이다. 학습에 필요한 기능은 바로 이런 것이다. 즉, 단기 기억에 담겨 있던 내용을 장기 기억으로 전환시키는 것이다. 따라서 교사는 학습자들이 배운 것을 장기 기억 장치에 담을 수 있도록 도와주는 역할을 해주어야 한다.

이러한 기능을 염두에 두고 언어와 연관시켜 보자. 상대방이 이야기를 시작한다. 그 이야기를 듣는다는 것은 상대방의 말을 자신의 단기 기억 속에 담는다는 의미이다.

이 과정에서 상대가 한 이야기의 이미지가 기억 속에 저장되어야 한다. 여기서 실패하면 이미 대화는 실패한 것이나 다름없다. 물론 이때 대화 전부를 기억할 필요는 없다. 다만 상대방이 한 말의 대체적인 메시지를 이해하면 되는 것이다.

이야기를 들은 사람은 단기 기억장치에 저장된 정보를 순간적으로 분석하게 된다. 어떤 목적으로 어떤 내용을 왜 이야기하는가를 분석하는 것이다. 물론 이 과정은 순식간에 일어나는 것이어서 여기에 걸리는 시간이라고 해봐야 초 단위도 되지 않는다.

이 단계가 끝나면 분석한 내용을 전부 연결하여 하나의 메시지로서 떠올리게 된다. 그때 이 메시지는 장기 기억 장치에 담기게 되고 곧 자신의 것으로서 재구성되는 것이다.

상대방이 한 말을 이해한 뒤에 다시 이야기할 때는 들은 사람이 자신의 영어로 재창조하게 된다. 그것은 곧 그가 상대의 말을 알아들었다는 증거이다. 이것은 상대의 말을 그대로 암기하는 것과는 다른 것이다. 똑같은 반복은 무의미하다. 의미의 재창조가 이루어지지 않으면 안된다.

말하기, 읽기, 쓰기, 듣기 함께 배워야

영어를 배울 때 문법과 독해, 회화를 따로 떼어 공부하지 말라는 이야기를 하는 근거는 그것이 인간이 언어를 습득하는 가장 자연스러운 방법이기 때문이다.

갓 태어난 아기는 말을 하지 못한다. 그저 어른들이 하는 말을 듣기만 할 뿐이다. 그 과정이 지속되다가 드디어 아기는 자신에게 가장 필요한 말, 즉 '엄마' '아빠' '맘마'와 같은 간단한 단어를 말하기 시작한다.

성인이 듣기에 그것은 그저 하나의 단어에 불과할지 몰라도 아기에게는 한 문장을 말하는 것 이상으로 큰 의미를 지닌 것이다. 실제로 부모는 아기의 외마디 소리만 가지고도 충분히 의사소통을 한다.

이어서 아이는 단어를 연결하여 말하게 된다. 문법을 배우지 않아도 아이들은 체험적으로 말하는 방식을 익혀간다. 그 후에 아이들은 문자를 터득하여 글을 읽게 되고 나아가 창조적으로 글을 쓰게 된다.

물론 이 과정에는 복잡한 언어학적 작용이 일어난다. 그러나 이 과정을 지나면서 이것이 어렵고 힘들다고 느끼는 사람은 없다. 쉽고 자연스러운 과정을 통해 자신도 모르는 사이에 모국어를 터득하는 것이다.

총체적 언어교육 방식이라는 것은 한마디로 인간이 모국어를 익혀가는 방법을 외국어를 배우는 데 그대로 응용하는 것이다. 외국어 학습자들도 모국어를 습득할 때와 마찬가지의 과정을 거칠 수 있는 환경을 만들어서 제공해주자는 것이다.

이에 대해서는 외국어 학습방식과 모국어 학습방식은 다르다는 비판이 제기될 수 있다. 그러나 언어의 습득과정이라는 것은 그것이 모국어이든 외국어이든 마찬가지다.

물론 모국어를 배운 것과 똑같은 방식으로 외국어를 익혀나가는 것은 매우 어려운 일이다. 환경을 인공적으로 조성해주어야 하기 때문에 시간과 노력도 많이 든다. 이 과정은 어려운 일이기는 하지만 불가능한 것은 아니다. 게다가 효과는 더 크다.

또한 이 과정은 저절로 이루어지는 것은 아니다. 누군가가 인공적으로, 또 지속적으로 적합한 환경을 조성해주어야 하므로, 교사의 역할이 중요하다. 따라서 교사들을 제대로 훈련시킬 수 있는가 하는 데 이 교육방식의 성패가 달려 있다.

'나'를 중심으로 하는 표현에 중점

결론부터 말한다면 외국어 교육은 빠를수록 좋다. 어리면 어릴

수록 교육효과가 높다는 것이다. 1950년대 중반에 발표된 스위스의 심리학자 피아제의 지적능력 발달과정과 언어능력 발달과정과의 관계를 살펴보자.

인간의 지적 능력의 발달과정은 4단계를 거친다. 6)

제 1단계는 The Sensorimotor Stage로 태어난 직후부터 2세까지의 기간을 말한다. 이 시기의 지적인 특성은 인과관계에 대한 개념이 아직 없다는 것이다. 따라서 이 시기의 언어능력은 아직 의사소통을 가능케 하는 수준에는 이르지 못한다. 이것은 모국어든 외국어든 마찬가지다.

제 2단계는 약 2세부터 7세까지의 시기로 The Preoperational Stage다. 이 단계에 진입한 아이들은 인과관계에 대한 개념을 어

---

6) The Sensorimotor Stage : sensorimotor = sensory + motor = Birth to 2 years of age
(지각신경(근육)기는 출생에서 2살까지의 기간을 말함.)

* '사람들의 인지(認知)' 발달과정은 대강 4기간으로 나눠 생각할 수가 있다고 발표한 피아제의 학설에서 나온 것임. '언어발달'과 '인지발달'의 상관을 연구한 것임 (언어교육에서는).

A child's cognitive development is primarily a product of sensory and motor activities.

The Preoperational Stage : pre=before (보통 2살에서 7살까지)
This stage occurs between 2 and 7 years of age. During this stage, the child learns to use symbols to represent reality.
Symbols used can be words, drawings, or one object representing another object.

느 정도 갖추고 있다. 언어 측면에서 보면 이 시기의 아이들이 구사하는 언어의 특징은 자기중심적이라는 것이다. '나 이것 갖고 싶어.' 라든지 '그걸 나에게 줘.' 라는 식으로, 이 시기의 아이들이 하는 말은 대개 자신의 필요를 충족시키는 수준에 집중되어 여기에 머물러 있다.

그러나 바로 이 2단계는 외국어를 배우기 시작할 수 있는 시기이다. 그러나 그것이 외국어든 모국어든 아이들이 사고하는 수준은 비슷하기 때문에 외국어를 가르칠 때도 이 시기의 특성에 맞추어 자기중심적인 표현을 집중적으로 교육하면 성과를 볼 수 있다.

따라서 이 시기에 외국어를 가르칠 때는 '나'를 중심으로 하는 표현에 중점을 두어야 한다. 2인칭이나 3인칭으로 이야기하는 것은 피해야 하며, 이 시기에 외국어를 배워 의사소통을 할 수 있는 단계까지 나아갈 수 있으리라는 기대는 하지 않는 것이 좋다. 한국에서 국민학교 과정에 영어를 가르칠 때 유의해야 할 대목이다.

제 3단계는 The Concrete Operations Stage로 약 7세에서 11세

The Concrete Operations Stage : about 7 to 11 years of age
(7살에서 11살)

This stage is marked by children's ability to focus on more than one aspect of a situation and think logically, using an underlying system to group concrete stimulation.

The Formal Operations Stage : This period occurs between 11 and 15 years of age and beyond. In this stage, the child develops the ability to reason abstractly.
(11살에서 15살 사이에 보통 시작하여 그후 줄곧.)

까지의 시기를 말한다. 이때 아이들의 지능발달은 상당한 수준에 이른다. 논리를 응용할 수 있는 능력이 생기고 인과관계도 명확하게 인식하며 구제적인 상황이 주어지면 추리를 할 수 있는 능력도 발전된다.

언어도 마찬가지로 발전하여 논리적이 되고 원인과 결과를 추리하여 문제를 해결할 수 있는 능력도 갖추게 된다. 외국어를 배우는 경우에도 이 정도의 내용을 갖춘 수준이라면 얼마든지 이해할 수 있게 되는 것이다.

이 시기의 아이들에게 외국어를 가르칠 때는 한 가지 명심할 점이 있다. 구체적인 상황이 제시되어야 아이들이 충분히 받아들이고 이해할 수 있다는 것이다. 이 시기의 아이들이 추상적인 상황속에서 사고하기를 기대하는 것은 무리다.

제대로 효과를 얻으려면 추상적인 상황을 제시하여 외국어를 가르치는 일은 피해야 한다. 가령 이 시기의 어린이들에게 외국어를 가르칠 때 몇 세기 전의 일을 기록한 텍스트를 자료로 쓴다면 효과는 그리 크지 않을 것이다. 아이들은 현재의 것이 아닌 지나간 일들을 현실감 있게 받아들여 자신의 언어로 이야기하기 어렵기 때문이다.

제 4단계는 The Formal Operations Stage로서 11세 이후를 말한다. 이때부터는 다른 사람들의 관점을 완전히 이해할 수 있는 지적 능력을 갖추게 된다. 이 시기의 가장 중요한 특성은 추상적 언어 사용이 가능해진다는 것이다. 이 외에도 논리적인 측면에 대한 이해가 강화되고 일상생활이나 구체적인 체험이 없는 상태에서도 특정 개념을 이해하고 그 문제에 대해서도 토론할 수 있는 능력이 생기게 된다.

피아제의 이론을 수용하면 언어를 배우는 원리를 하나 끄집어 낼 수 있다. 예를 들어 'apple'이라는 단어를 가르친다고 하자. 먼저 아이에게 사과를 보여준다. 아이는 사과가 무엇인지 눈으로 보고 알게 된다. 그 다음에 'apple'이라는 말을 가르치는 것이다.

미리 개념을 알면 언어를 받아들이는 것도 훨씬 수월해지는 것이다. 이런 방식으로 어린이들의 지적 발달과 언어능력과의 관계를 연결시켜, 외국어 교육방식을 발전시켜 나간다면 의외로 풍성한 효과를 거둘 수 있을 것이다.

아이들은 끊임없이 자신이 처해 있는 환경과 상호작용을 하고 있다. 주변에 있는 많은 것들, 그것이 사물이든 사람이든 간에 그 대상을 탐색하고 그들과 접촉하면서 직접적인 체험을 쌓아 나간다.

또한 아이들은 또래의 친구들 또는 어른들과 어떤 목적을 가지고 이야기를 하면서 의미 있는 체험을 쌓아 나간다. 아이들이 어떤 말을 할 때는 대부분 다 목적이 있다. 그 목적이 친구와 놀기 위해서든 또는 어른들에게 무언가 자신이 원하는 것을 요구하기 위해서든 거기에는 반드시 이유가 있는 것이다. 이러한 목적이야말로 언어를 발달시키는 직접적인 동인이 된다.

사람이 말을 배운다는 것은 다른 사람들과의 관계 그리고 지적인 성숙도와 밀접한 관계가 있다. 아이들은 부모나 친구와의 대화를 통해서 언어를 습득해 간다. 또 그렇게 해야 빨리 발전할 수 있다.

외국어도 마찬가지다. 한국에서 영어를 배우는 경우라고 해도 모국어를 배우는 것과 유사한 환경을 제공해주면 얼마든지 외국어를 익힐 수 있다. 물론 쉬운 일은 아니다. 그렇다고 불가능한 일은 더더욱 아니다.

영어 조기교육 빠를수록 좋다

미국 어린이들은 만 6세에 국민학교에 입학한다. 그러나 그들은 언어발달 측면에서는 이미 상당한 수준에 이른 상태이다. 어린이들이 국민학교에 입학하기 전인 만 5세까지 성인이 사용하는 용어의 반 정도를 습득한다는 것이 많은 언어학자들의 견해이다.

만 5세에 이른 아이들은 성인이 사용하는 어휘의 반 정도를 이미 이해하고 있고 모국어의 구조를 거의 완전하게 습득하고 있다. 물론 이 나이의 아이들은 자신이 알고 있는 어휘를 모두 쓰고 읽지는 못한다. 그러나 거기까지 쌓은 언어학적인 자산이라는 것은 엄청난 것이다.

그러니까 어린이들은 자신들이 이미 갖고 있는 그 엄청난 언어학적 기초를 바탕으로 읽고 쓰기를 배우고, 말하고 듣기를 더욱 세련되게 만들어 가는 것이다. 이 과정은 비단 영어뿐만이 아니라 모든 언어에 다 적용되는 것이다.

한국의 어린이들도 다 이런 과정을 밟는다. 그들도 이미 알고 있는 한국어 자산을 토대로 국민학교에 입학한 후에 읽기 쓰기와 말하기 듣기를 배우는 것이다. 영어를 배우기가 어려운 것은 바로 이러한 기초적인 언어학적 자산이 없이 맨 처음부터 시작해야 한다는 데 있다.

사람이 태어나서 자연스레 말을 배우는 과정은 그렇게 고통스러운 것이 아니다. 실제로 그 과정은 매우 체계적인 것이지만 대부분의 사람들은 그것을 인식하지 못하고 하나의 언어를 체득해 간다.

외국어를 배운다는 것은 이 자연스런 과정을 인위적으로 배워 가는 것이다. 그러나 아이가 성장하면서 5년 동안 익히는 언어 실력을 외국인이 갖추려면 엄청난 시간과 노력이 소요된다. 그러나 모국어를 배워가는 과정은 언어를 익히는 가장 자연스럽고 쉬운 방법이다.

따라서 어린아이가 성장과 함께 언어를 익혀 가는 과정을 그대로 영어 학습에 적용하면 가장 큰 효과를 올릴 수 있다. 그것은 일종의 시뮬레이션인데 이 방식을 외국인에게 적용할 때는 자연 성장 과정보다 더 압축해서 적용해야 한다.

모국어를 배우는 과정과 유사한 환경을 만들기 위해서는 부모의 역할을 대신해줄 사람이 필요하다. 가장 이상적인 것은 가르치는 사람이 외국어를 모국어로 쓰는 사람일 경우이다. 물론 단순히 외국인인 것만 가지고는 부족하다. 그는 언어교육을 할 수 있도록 전문적인 훈련을 받은 전문가여야 한다.

이들 외국인 교사들이 외국어 학습 과정에서 부모의 역할을 대신하여 모국어 습득과정과 유사한 환경을 효율적으로 이끌어가야 하는 것이다. 그 과정은 집중적으로 이루어질수록 효과가 좋다. 또 학습자가 어리면 어릴수록 효과는 더 빠르고 더 크다.

한국에서는 아직도 외국어 조기 교육을 둘러싼 논쟁이 있다는 이야기를 들었다. 그러나 그것은 이미 30년 전에 논쟁이 끝난 얘기다. 조기교육은 결코 해로운 것이 아니다. 여기서 '해로운 것이 아니다.'는 표현은 모국어를 위해서 그렇다는 의미다.

캐나다의 실험, 조기교육

내가 영어교육과 교수라는 것을 아는 사람들은 내게 이런 질문을 자주 한다.

"너무 어릴 때부터 영어를 가르치려다 한국어와 혼란을 일으켜 오히려 가르치지 않은 것만도 못하게 되는 것은 아닙니까?"

"한국말도 제대로 못하는데 영어를 가르치다니요?"

너무 어릴 때 두 개의 언어를 동시에 배우는 것은 혼란을 일으킬 것이라고 굳게 믿고 있는 사람들이 아직도 많은 것같다. 조기영어교육에 대한 논쟁도 결국은 이러한 걱정 때문이다.

1950년대까지만 해도 미국에서도 마찬가지 논란이 있었다. 이러한 우려는 상당히 설득력 있게 들려서 실제로 많은 사람들이 두 개의 언어를 동시에 가르치는 일을 피하기까지 했다.

그러나 이런 걱정은 사실 별 근거가 없는 것이다. 어린 시절에 외국어를 배운다고 해서 그 외국어가 모국어 발전에 해로운 영향을 끼치지는 않는다.

1950년대 캐나다에서는 이 문제에 대한 실험이 집중적으로 이루어졌다. 영어와 불어를 동시에 쓰는 지역에 사는 어린이들을 대상으로 한 이 실험에서 모국어의 뿌리가 아직 굳지 않았을 때 외국어를 배우면 혼란이 야기될 것이라는 주장이 근거 없다는 사실을 밝혀냈다.

캐나다는 이제 영어와 불어를 공식용어로 쓰고 있지만 그 방침이 자리를 잡기 전까지는 상당한 혼란이 있었다. 특히 자신의 모국어에 대한 애착이 강하기 때문에 쉽사리 다른 언어를 받아들이지 않으려는 경향도 있었다.

이 실험은 캐나다의 영어 사용권에서 시작됐다. 당시 캐나다에서는 영어와 불어가 동시에 사용되고 있었고, 영어를 중심축으로 하기에는 불어권의 반발이 너무 컸다. 그래서 이들은 두 개의 언어가 사용되고 있는 나라에 사는 아이들에게 무리없이 두 개의 언어를 가르치는 방법이 무엇인가에 대해 고민하기 시작했다.

그래서 채택한 방법이 영어를 사용하는 가정에서 아이들을 불어학교에 보내는 것이었다. 아이들은 집에서는 철저하게 영어를 사용해왔지만 일단 학교에 가면 불어를 사용하고 불어로 수업했다. 1~2학년 때까지는 학교에서의 영어교육이라는 것은 아예 하지 않았고 영어교과서도 사용하지 않았다.

이렇게 1~2년이 지나자 아이들은 불어를 사용하는 데 큰 무리가 없을 정도의 수준에 도달하게 됐다. 그제야 아이들에게 영어로 된 교과서가 주어졌고 아이들은 그때부터 비로소 영어로 공부하게 되었다.

결과적으로 이 실험에 참가한 아이들은 두 언어를 모국어 수준으로 사용할 수 있을 만큼 만족스러운 결과에 도달하게 됐다. 두 가지 언어를 동시에 사용하고 배웠지만 두 언어는 상충되지 않고 자연스럽게 발전해 나갈 수 있었다.

그러나 이런 실험결과에 대해서조차도 불안하게 생각하는 사람들이 있는 것 같다. “영어와 불어는 상당히 유사한 언어라서 그게 가능한지 몰라도 한국어와 영어는 전혀 다른 언어이니 캐나다의 경우와는 다른 것이 아니겠느냐."는 의문을 제기하는 것이다.

이러한 의문에 대해서는 한국의 이민 2세들의 경우를 들 수 있을 것이다.

한국에서 태어나 유치원 또는 국민학교 1~2학년 때 부모를 따라 미국에 이민을 간 아이들의 경우 한국어와 영어를 거의 같은 수준으로 구사하는 예는 얼마든지 찾아볼 수 있다.

세계적으로 유명한 음악가 정명훈 씨의 아들은 영어, 불어, 이태리어, 독일어를 모국어 수준으로 한다고 들었다. 이 나라 저 나라 옮겨다니면서 살다 보니 아들은 여러나라 언어를 거의 동시에 배우게 된 것이다.

그것은 언어에 특별한 재능이 있거나 지능이 남다르게 높은 사람들에게만 나타나는 특수한 현상이 아니다. 그저 집에서는 부모와 늘 한국어로 대화하고 밖에 나가서는 영어로 공부하고 활동한 결과 나타난 자연스러운 현상일 뿐이다.

한국에서는 뒤늦게나마 오는 97년 국민학교 3학년부터 영어를 정식 교과로 채택하여 가르칠 계획이라고 한다. '세계화' 전략에 들어맞는 전향적인 자세로 환영하는 바이다.

어떤 사람이 영어를 잘할까

외국어를 배우기가 어려운 것은 누구에게나 다 마찬가지지만 개중에는 특별히 외국어를 쉽게 배우는 사람들이 있다. 노력도 노력이지만 뭔가 특별히 타고난 재능이 있는 것은 아닐까 하는 생각도 든다.

재능도 물론 중요하고 노력도 중요한 것은 말할 것도 없지만 외국어 실력을 향상시키는 데는 성격도 단단히 한몫을 한다.

먼저 지나치게 소심한 사람의 경우에는 외국어 실력이 쉽사리 늘지 않는 것이 보통이다. 그런 사람들은 외국어로 한마디 한 마디 말을 할 때마다 "내가 지금 하고 있는 말이 문법에 제대로 맞는 것일까?"

"아이구 이 단어가 틀린 것은 아닌지 모르겠네."

"이 숙어가 정말 이럴 때 쓰는 것일까."하는 생각을 하느라고 입이 떨어지질 않는다.

이런 사람들이 어쩌다가 한두 마디 입을 뗄 때는 꽤 정확한 영어를 구사한다. 그러나 풍부한 표현이 아닌 경우가 많다. 너무 조심하기 때문에 새로운 말을 시도한다거나 임기응변식으로는 말하지 않고 그저 자신이 확실하게 알고 있는 말만 하고 말기 때문이다.

틀리지는 않아서 좋을지 모르지만 이렇게 하다 보면 속도가 붙지 않는다. 확실한 표현 몇 개를 가지고 외국어를 한다고 말하기는 곤란하다. 이런 성격의 사람들은 외국어를 배울 때, 공부 자체도 중요하지만 좀더 과감하게 말하는 태도를 의식적으로 길러야 한다.

틀려도 좋으니 말해보고, 실수를 두려워하지 말자. 체험을 통해 배운다는 것은 결국 실수를 통해 배운다는 뜻이기도 하다. 틀리지 않을까 두려워하다 보면 언제 실력이 늘지 알 수 없다.

그렇다고 무조건 지껄이기만 하는 사람이 좋으냐 하면 그것도 아니다. 내가 아는 한 한국 여인은 미국인과 결혼하여 미국에서 살고 있다. 그녀는 한국에서도 제대로 교육 받은 경험이 없으므로 사실상 영어의 기초랄 것이 없는 형편이었다.

그러나 그녀는 굉장히 말이 많았다. 아무 이야기나 두서 없이 늘어놓길 잘 하는데 그 영어라는 것의 수준이 그저 여기저기서 얻어 들은 단어의 나열에 지나지 않는다. 문제는 그녀가 하는 엉터리 영어를 가족들은 그럭저럭 알아듣는다는 것이다. 별다른 사회생활이 없으니 그 실력으로 어떻게 살아가긴 하는 모양인데 그녀가 하는 말을 듣고 있으면 저게 과연 영어라고 할 수 있을까 싶어서 한심스러워지기까지 했다.

너무 문법에 신경을 쓰다 말을 못하는 것도 문제지만 아무 생각도 없이 이렇게 내뱉어 버리는 영어도 늘지 않기는 매한가지다. 문법에 대한 기초가 너무 없으면, 기초공사도 골격도 없이 집을 짓는 격이니 그 영어가 늘 리 없다. 나는 은근히 걱정이 되어 그녀의 남편에게 슬쩍 말해주었다.

"어렵더라도 조금씩 고쳐주세요. 저런 식으로 계속하다 보면 완전히 굳어져서 나중에는 도저히 교정할 수 없는 지경에 이를지도 모릅니다."

그러나 그녀의 남편은 씁쓸하게 웃으면서 고개를 가로저었다. 아마 그도 노력을 하다가 포기해버린 형편인지도 모른다.

역시 가장 이상적인 형을 말하라면 이 중간형일 것이다. 이를테면 생각을 해가며 조심스럽게 말하는 타입이라 하겠다. 아마도 대부분의 사람은 이런 유형에 속할지 모른다. 또 그렇지 않더라도 이 정도의 상태를 유지하는 것이 외국어를 가르치고 배우는 데는 가장 이상적이다.

교사의 입장에서 중요한 것은 어떤 경우에도 틀린 것을 그 자리에서 지적하여 무안을 주지 말아야 한다는 것이다. 너무 큰 실수를 할 때는 어쩔 수 없지만 그렇지 않다면 작은 실수는 일단 그냥 넘겨 버려야 한다. 적어도 초기에는 더욱 그래야 한다.

용기를 내어 조심조심 말하는 사람의 사기를 꺾어 버리는 일만큼은 피해야 한다는 것을 외국어를 가르치는 사람들은 반드시 명심해야 한다. 물론 말을 다 하고 난 뒤라든지 시간이 지난 후에 조목조목 지적하고 설명하는 일이 뒤따라야 함은 당연하다.

비디오와 카세트 테이프 학습

그렇다면 이쯤 해서 왜 비디오를 보고 영어공부를 하는 것이 쉽게 되지 않을까 라는 의문이 나올 법도 하다. 외국어 학습용 비디오와 카세트 테이프는 엄청나게 많다. 최근에는 컴퓨터다 뭐다 해서 첨단 기기를 이용한 학습방법이 속속 소개되고 있다. 이 학습 교재들은 가격도 엄청나게 비싸다.

처음에는 대단한 기대를 하고 비싼 가격도 마다하지 않고 사다 놓은 뒤에 한두 번 보다가 포기해 버렸다는 이야기를 자주 듣는다. 사다 놓은 비디오 테이프는 어디에 있는지도 모를 정도로 까맣게 잊었는데 월부금을 물다보면 화가 치밀어 오른다는 이야기도 들은 적이 있다.

왜 안되는가. 비디오나 카세트 테이프에 문제가 있어서 그런 것은 아니다. 대부분의 교재들은 아주 공들여 만든 것으로 그것 자체는 꽤 훌륭한 교재인 경우가 많다.

문제는 오히려 외국어라고 하는 것의 근본 성격, 나아가 언어의 본질적인 특성 때문이다. 언어라는 것은 사회적인 것이다. 상호작용이 있을 때 비로소 제 기능을 하는 것이기 때문에 아무리 훌륭한 비디오라고 해도 그것에만 의존하는 것은 한계가 있게 마련인 것이다.

그런 비디오라도 오래, 자주 보면 지적인 발달 측면에서 확실히 도움이 될 것이다. 그러나 보고 듣고 이해한 그 내용이 내 것이 되어 적절한 상황에서 제대로 튀어나와 주느냐 하는 것은 학습자의 노력과 관련된 별개의 문제이다. 이것 역시 언어의 총체적인 측면을 드러내주는 좋은 사례가 될 수 있을 것이다.

한국인들의 영어

늘 하는 일이 영어를 공부하고 영어 가르치는 일이니 남의 말을 유심히 듣게 된다. 특히 상대가 영어를 모국어로 사용하는 사람이 아닐 경우에는 나도 모르게 더 귀를 기울이게 된다.

상대가 한국인일 경우에는 관심의 정도가 두 배쯤 더 높아진다는 것도 솔직히 고백하지 않을 수 없다. 물론 흠을 잡자는 것은 아니다. 다만 오랫동안 생각해둔 것이 있어 이번 기회에 정리해

1995년 여름 국내 시·도 교육청 주관으로 열린 시·도 영어담당 교사들을 위해 "워크샵"을 하고 있는 하광호 교수.

두려는 것이다.

성인이 되어 외국어를 배우는 것이 얼마나 고통스럽고 어려운가에 대해서는 더 말할 필요가 없다. 모국어의 뿌리는 너무나 강렬한 것이어서 그 사람의 언어습관은 쉽게 이질적인 언어로 바꾸어지지 않는다. 특히 기초적인 부분에서 그 한계는 더욱 뚜렷하게 두드러져 나타난다.

우선 복수·단수의 구분이 제대로 되지 않는 것이 한국인들이 구사하는 영어에서 가장 자주 나타나는 실수이다. 마치 화석이라도 된 듯 고치기가 어려운 부분이다.

He나 She를 대화에서 현재형으로 쓸 때, 3인칭 단수인 has가 아니라 have가 나오는 것은 보통이고, 현재형 동사의 뒤에 's'를 붙이지 않는 것도 너무나 예사로운 일이다. do와 does가 혼동되는 경우도 많다. people을 peoples라고 하는 것도 아주 흔한 실수 중의 하나이다. people은 person의 복수형이므로 s를 붙일 필요가 없는데도 말이다.

이것은 비단 한국에서 영어를 배운 사람들뿐 아니라 미국에 사는 교포들도 자주 하는 실수이다. 아마 우리말에 단수·복수의 구분이 명확하지 않기 때문일 것이다.

한국식 영어의 또 하나의 특징은 숙어 사용 빈도가 현저히 떨어진다는 것이다. 사람에 따라서는 발음이나 언어 구사력이 모국어 사용자 수준에 이를 정도로 손색 없는 영어를 구사하는 경우도 있는데, 이 경우에도 숙어 표현의 사용 횟수는 그다지 많지 않은 게 보통이다.

이들이 영어를 사용하는 방법은 대개 정해져 있다. 교과서에 나와 있는 모범적인 문형만을 반복적으로 구사한다는 것이다. 그래서인지 유창한 영어실력에도 불구하고 모국어가 아니라는 것이 금방 드러난다.

이런 사람들은 자주 쓰는 표현과 대체하여 사용할 수 있는 다른 표현들을 틈틈이 외워 두면 크게 도움이 될 것이다. 외운 것은 반드시 실제 상황에서 사용해보아야 자기 것이 된다. 유용한 표현들을 분야별로 나누어 기록해 두었다가 꾸준히 연습하면 반드시 효과를 볼 수 있을 것이다.

다음과 같은 상황을 상상해보자. 어느날 아침 우연히 마주친 미국인이 "Good Morning."이라고 인사를 건넨다. 인사를 받은 사람도 곧 "Good Morning."이라고 인사한다.

그는 곧 이어 이렇게 말한다.

"How are you?"

문제는 그 다음이다. 한국인들은 백이면 백 다 한결같이 "I am fine, thank you. And you?"이다. 교과서에 그 표현 하나밖에 나와 있지 않아 너무 깊숙이 머릿속에 박혀 있기 때문일지도 모른다.

그러나 대답은 얼마든지 바꿀 수 있다.

"Fine, thanks. And you?"

"Just fine. And you?"

"Just fine. How about yourself?"

"Fine, thanks. Youself?"

"I am very well. And you?"

이 모든 표현이 그 상황에서 쓸 수 있는 것들이다. 이 이외의 것도 많다.

---

7) Proverbs: (속담) 속담들이 많이 있는데 다음은 그 중에서 비교적 많이 쓰는 것들을 소개했음. 자주 쓰는 속담들이 이 외에도 많다는 것을 명심할 것.

Actions speak louder than words.

성실성 있는 행동은 없고 단지 입만 살아 떠들어대는 사람을 질타할 때 자주 쓴다.

All that glitters is not gold.

겉보기에는 가치가 큰 것처럼 보여도 실제로는 매우 쓸모없을 수 있음을 경고하는 의미로 쓴다.

All work and no play makes Jack a dull boy.

영어에 어느 정도 익숙해진 사람이라면, 특정 상황에서 쓰이는 표현들을 모아 의식적으로 번갈아가며 사용하는 연습을 해보는 것이 좋다. 명심해야 할 것은 반드시 실제 상황에서 사용해 보라는 것이다. 미국인들이 잘 쓰는 관용구는 물론 속담을 외워 두는

일만 하고 절대로 쉬는 시간 없는 사람은 타인이 보기에도 따분하고 자기 자신도 따분하다는 것.

April showers bring May flowers.

싫은 일들이 있을지라도 그 중에는 후에 좋은 것들을 가져다 줄 수도 있다는 인내심을 돋구라는 의미.

Bad news travels fast.

사람들은 남들이 겪는 좋지 않은 소식들을 입방아 찧는 데는 신속하다는, 사람들의 속된 성품을 비꼬는 것임.

The bad workman always blames his tools.

사람들의 성패는 일을 하는 데 쓰는 도구(넓은 의미의)로 결정되는 것이 아니고, 자기가 소유하고 있는 것을 어떻게 쓰느냐에 달려 있다 라는 뜻.

Beggars can't be choosers.

타인들의 관대한 처사에 의존하는 입장에 있는 사람들은 하는 그대로를 따를 뿐이지 자기 주제에 이래라 저래라 할 수 있는 처지가 아니라는 것. "거지가 쌀밥, 보리밥을 가리다니 우스운 일이다!"

Better late than never.

안하는 것보다는 더 나으니 늦었어도 할 것을 권유하는 말.

Don't judge a book by its cover.

겉만 보고 진가를 결정하지 말라는 경고이다.

것도 좋은 방법이다. 7)

요즘 한국의 일간신문을 보면 여러 가지 유용한 영어 표현들이 날마다 실리고 있다. 그러나 영어의 기초가 닦여 있지 않은 상태에서 토막토막 나눠서 외운 표현들은 그다지 쓸모 있는 자산이 되지 못한다. 언어는 늘 전후 상황이 중요하기 때문이다.

The buck stops here.
여기서는 자기가 최종적으로 책임을 져야 할 사람이라는 것.
미국의 트루먼 대통령의 desk 위에 이 '사인' 이 항상 있었음은 유명하다.

Business before pleasure.
책임을 진 일들을 먼저 끝내고 난 후 재미를 보아야 한다. '금강산도 식후경'이라는 한국의 사고와는 대조적이다.

Let's cross that bridge when we come to it.
재난이 닥치면 그때 부딪칠 것이지 미리부터 소용없는 걱정은 하지 말자는 것임. 주변에는 이런 사람들이 많다.

Don't cut off your nose to spite your face.
그 누구보다 네 자산을 더 해치는 결과를 초래할 그런 어리석은 분풀이나 보복은 삼가라는 의미이다. 너의 손해가 더 많다는 것임.

Do unto others as you would have them do unto you.
남으로부터 네가 바라고 싶은 그런 것(좋은 태도나 친절)으로 남을 대하라는 유명한 성서의 구절에서 나왔음.

Little pitchers have big ears.
아이들이 듣는 데서는 어른들은 자기들의 말을 조심해야 한다는 것임.

그러나 영어로 어느 정도 의사소통을 할 수 있는 사람들에겐 한국의 신문에 게재되는 영어 사용의 토막정보는 꽤 유용한 정보가 된다. 빈약한 어휘력 또는 구어적 표현들을 보완해 줄 수 있기 때문이다.

특히 새로운 표현, 다양한 어휘를 필요로 하는 사람들은 이 자료를 열심히 활용하라고 적극 권하고 싶다. 잊지 말아야 할 것은 '이런 상황이라면 어떤 표현이 적합할까' 하는 문제를 늘 생각하도록 하는 것이다. 영어를 배운다는 것은 결국 특정 상황에서 의미가 통하는 표현을 사용하는 방법을 익히는 것이니까.

영어를 마스터하려는 사람들에게 주는 충고

목적을 가지고 몰입하라

서울 시내의 큰 서점에 들렀더니 어마어마하게 많은 양의 회화용 교재가 진열되어 있었다. 종류도 가지가지여서 주제별로 1과부터 주르르 나열되어 있는 것이 있는가 하면 상황에 따라 사전식으로 찾게 되어 있는 것도 있었다. 생활영어 회화가 있는가 하면 비즈니스용, 여행용, 전화용 등 용도에 따라 구분이 되어 있는 책들이 많이 있었다.

이 책을 가지고 어떻게 공부할 것인가. 연극 대본 연습하듯 처음부터 줄줄 외우는 연습을 하지는 말아달라는 부탁을 하고 싶다. 실전에 응용할 수 있는 회화 공부를 하려면 두 사람이 각각 역할(role)을 맡아 마치 연기를 하는 것처럼 실제 상황을 연기해보는 것이 도움이 된다.

배우는 것도 가르치는 것도 살아 있는 상황에서 하는 것이 아니라면 그것은 진정한 의미의 언어 학습이라고 할 수 없다. 짧은 순간일지라도 몰입하라. 연기이기는 하지만 정말인 것처럼 몰입하라. 어른이라고 해서 부끄러워 하고 다른 사람이 본다고 해서 주춤거리면 영어는 결코 늘지 않는다.

실제 상황이라고 상상하고 완전히 영어에 빠져 들어라. 그것이 최상의 방법이다. 자신의 일상이나 체험이나 생각과는 무관한 주제를 가지고 평생 써볼 기회도 없을 무용한 표현들을 우격다짐으로 외우려 들지 말고 한 가지 표현을 익혀도 그럴 듯하게 하자.

사과 이야기를 할 때는 가능하면 사과를 먹거나 앞에 두고서 하라. 공원에 관한 대화를 나누려면 아예 공원에 가서 하는 쪽이 좋다. 여행에 관한 이야기를 하려거든 최소한 가본 곳, 갈 계획이 있는 곳에 대해 이야기해야 나의 언어가 될 수 있는 것이다.

실수를 하는 것이야 어쩔 수 없는 일이니 과감하게 감수하자. 성인이 되어 외국어를 배울 때는 어린 아이의 경우보다 훨씬 힘들다. 그러나 노력한다면 결코 불가능한 일이 아니다.

몰입의 중요성은 교포 자녀들을 통해서 여실히 드러난다. 미국 이민을 간 부모들은 영어공부한다고 늘 텔레비전을 본다. 물론 듣는 능력은 어느 정도 향상될 것이다. 그러나 텔레비전에 등장한 상황의 진정한 의미를 이해하지 못한다면 아무리 열심히 텔레비전을 본들 무슨 소용이 있겠는가.

그러나 아이들은 다르다. 일단 학교에 가면 완전히 영어사용권에 몰입해 버린다. 아이들로서는 아이들 사회에 속하고 싶다는 적극적이고도 필수적인 욕구가 있다. 그것이 아이들을 영어로 말하게 하는 동인이다. 목적이 있는 몰입, 그것이야말로 최상의 외국어 교육환경이다.

성인들이 영어 배우기가 어렵다고 생각하는 이유

미국에 30년 가까이 살다보니 주변에서 영어 때문에 고통받는 교포들을 너무도 자주 만나게 된다. 한국에서는 조기 유학이다, 직장인 해외연수다 해서 너도 나도 영어 배우러 미국에 간다고 야단인데, 정작 미국에 와서 살고 있는 교포들은 영어를 잘 못한다. 미국에 한두 해 산 것도 아니고 10년 20년씩 산 사람들 중에도 이런 사람은 얼마든지 있다. 왜 그럴까.

우리 교포들이 영어에 적응해 가는 과정을 유심히 살펴보면 해답이 나온다. 한국에서 대학을 졸업한 부부가 국민학생 자녀 두 명을 데리고 미국땅을 밟는다. 이때 부모는 이미 한국에서 대학교육까지 받은 사람들이므로 영어의 기초가 닦여 있어 어느 정도 수준까지는 영어를 구사할 수 있다. 그러나 아이들은 졸지에 완전히 벙어리 신세가 되어 부모의 손에 이끌려 미국생활을 시작하게 된다. 이때만 해도 부모의 영어 실력은 아이들의 눈에 존경스러울 만큼 훌륭하게 들린다.

아이들이 학교에 들어가 미국 아이들과 어울려 공부를 시작하게 되면 부모는 아이들의 숙제를 봐주고 공부도 도와준다. 이민 초기의 1년, 길면 2년까지는 그래도 부모가 권위를 가지고 아이들을 가르칠 수 있는 기간이다.

그러나 3년이 지나면 사태는 완전히 역전된다. 이 기간 동안 아이들은 완전히 영어다운 영어의 틀을 갖추기 때문이다. 미국에서 태어나지 않은 아이들이라도 10세 이전에 미국에 이민을 가서

5년쯤 되면 미국아이들과 거의 비슷한 수준으로 영어를 구사할 수 있게 된다. 이들에게 모국어 액센트는 거의 남아 있지 않다. 이렇게 미국 생활이 10년이 넘어가면 이들은 미국에서 태어나고 자란 아이들이 구사하는 영어와 거의 차이가 없는 모국어 수준의 영어를 하게 된다.

이때부터는 이민 온 부모가 아이들에게 의지해야 하는 현상이 벌어진다. 그 동안 부모의 영어도 늘기는 했겠지만 아이들의 눈부신 발전에 비한다면 그야말로 보잘 것 없는 수준이어서 법정에 선다든지 하는 경우처럼 미묘한 어감의 차이까지 구분해야 할 경우에는 아이들이 통역으로 나서야 한다.

그렇다면 어른들의 영어는 왜 아이들만큼 빨리 늘지 않는 것일까. 대답은 간단하다. 미국에 산다고 해서 무조건 영어가 능숙해지는 것은 아니다. 어른이건 아이건 노력하지 않으면 외국어는 늘지 않는다.

아이들의 경우에는 자기 또래 집단과 어울리려는 욕구가 강하므로 그만큼 언어를 배워야 할 필요성도 절박하다. 그에 비하면, 어른들은 먹고 살 만큼만 의사소통이 되면 그것으로 만족하고 더 이상의 노력을 하려 들지 않는다. 특히 한국 교포들 중에는 수퍼마켓이나 세탁소를 운영하는 사람들이 많은데, 이들은 대부분 장사에 필요한 수준의 영어에 만족하게 된다. 미국사회에서 살아남을 수 있는 정도의 영어만 할 수 있게 되면 거기서 만족해버리는 것이다.

이것은 다시 말하면 어른들은 영어를 배우려는 의식적인 노력을 별로 기울이지 않는다는 것을 의미한다. 사실은 어른들이 아이들보다 더 비장한 각오로 더 많이 노력해야 하는데도.

외국어 배우는 가장 중요한 나이 15세

'정서 정류장치'라고 할지 아니면 '감정 여과기'라고 해야 할지, 하여간 'Affective Filter'라는 말은 지금부터 약 20여 년 전 스티브 크래쉰(Steve Krashen)이라는 언어학자가 쓰기 시작한 말이다.

그는 인간의 감정 또는 사고의 체계 속에는 감성과 정서를 여과하는 장치가 있다는 가설을 세웠다. 이 감정 여과기의 성능은 사람마다 다르다. 어떤 사람은 웬만한 것은 다 걸러내는 데 비해 다른 어떤 사람은 아주 작은 것들도 여과를 시키지 못해 애를 먹는다.

예컨대 여러 사람 앞에서 연설을 하거나 노래를 하라는 요청을 받았을 때 그 사람의 반응을 들 수 있다. 주저하지 않고 넉살 좋게 잘하는 사람은 어펙티브 필터가 낮아 웬만한 건 다 통과시키는 사람이고, 그 반대는 그렇지 못한 사람이다.

물론 여기에는 성격, 가정교육, 문화적 배경 등이 중요한 요소로 작용하는데 일반적으로 어린아이보다는 어른이 더 어펙티브 필터가 높아서 외부로부터 들어온 '외국어'라는 새로운 인풋(input)을 잘 여과시키지 못해 애를 먹게 마련이다.

그래서 외국어를 배우는 데 있어서 나이는 결정적인 중요성을 갖는다. 태어나서 3세까지는 언어를 아무런 고통 없이 배울 수 있는 축복받은 기간이다. 이때는 두 개의 언어를 똑같이 모국어 수준으로 구사할 수 있는 이중언어 사용자가 될 수 있다.

4세 이후에 외국어를 배우게 된다면 그때는 두 언어가 동시 발달하는 것이 아니라 순차적으로 발전하게 된다. 이미 아이의 머릿속에는 모국어의 체계가 이뤄졌기 때문에 외국어는 약간의 시차를 두고 발전하게 된다. 그래도 시간이 흐르면 두 언어를 모국어 수준으로 구사하는 데는 큰 문제가 없다.

외국어 습득과 관련해서 가장 중요한 시기는 15세라고 할 수 있을 것이다. 15세까지는 그래도 비교적 수월하게 외국어를 배울 수 있다.

그러나 15세를 넘겨 버리면 그때부터는 외국어를 배우는 일이 그 이전과는 비교할 수 없을 정도로 어려워진다. 가장 큰 이유는 심리적인 요인이다.

이때는 이미 정서적으로 상당히 성숙한 데다가 그 사회의 문화와 관습에 젖은 상태이므로 새로운 것을 받아들이기가 전처럼 수월하지 않기 때문이다. 이런 상황을 두고 'Affective Filter'가 높아졌다고 표현한다.

성인이 된 후에 외국어를 새로 배우기가 어려운 것은 굳이 설명할 필요가 없을 것이다. 이미 15세 때에도 뛰어 넘기 어려운 심리적 장벽은 성인이 된 후에는 더 두텁고 높아져서 극복하기가 여간 어려운 게 아니다.

하나의 언어를 배운다고 하는 것은 그 언어가 속해 있는 지역의 문화와 역사와 관습까지도 흡수해야 한다는 것을 의미한다. 이미 자기 것에 익숙해진 성인으로서는 새로운 문화를 받아들이기가 어렵다. 게다가 아주 다른 형태의 어투와 발음을 흉내내는 것이 쑥스럽고 부끄럽기까지 하다.

더 문제가 되는 것은 실수를 두려워 한다는 것. 아이들처럼 아무 말이나 지껄여 보는 것이 아니라 혹시 틀리지나 않을까 남이

못 알아듣지나 않을까 걱정을 하다 보면 입이 떨어지지 않게 된다. 어른이 되어 외국어를 배우기가 어려운 것은 기억력이나 이해력 이전에 바로 이와 같은 심리적 요인이 가장 큰 장애가 되는 것이다. 즉 정서 정류장치가 강하게 작용한다는 말이다.

"우리 사람… 좋아해."하는 식으로 말하던 한국내 중국 화교들의 서투른 한국말은 제대로 배우지 않아 엉터리가 되어버린 외국어의 좋은 사례이다. 좀더 제대로 된 말을 해보겠다는 의식적인 노력 없이 단어만 나열해서 의사소통이나 하자고 든다면 우리의 영어도 결국 화교들이 하던 한국말과 다를 것이 없게 된다.

아이들은 쑥쑥 느는데 어른들은 왜?

노력하지 않으면 외국어를 배울 수 없다. 너무 당연한 이야기라 우습게 들릴지 모른다. 그러나 영어실력이 늘지 않는다고 불평하는 사람들을 볼 때마다 나는 꼭 이 질문을 해보고 싶다. 정말 노력을 해보았느냐고. 그것도 제대로 된 방식으로 노력을 해보았느냐고.

한국에 살든 미국에 살든 의식적인 노력을 기울이지 않으면 영어 실력은 늘지 않는다. 미국에 오래 산 교포들이 좋은 예가 될 것이다. 한국 교포들의 교육수준이 그 어느 이민사회와 비교해도 상당히 높은 수준이라는 것은 미국에서도 이미 널리 알려진 사실이다.

교포들 중에는 한국에서 고등교육을 받고 좋은 직장에서 일했던 사람들도 꽤 많은데 이들 중 상당수가 수퍼마켓이나 세탁소 등을 경영하는 데 만족하고 살아가고 있다. 물론 그 직업이 다른 직업만 못하다는 이야기를 하려는 것이 아니다. 수퍼마켓이나 세탁소 등을 운영하는 일은 높은 수준의 영어실력을 필요로 하는 것이 아니므로 이민 초기에는 가장 수월하게 택할 수 있는 직종이다.

많은 한국 이민들이 이 분야에서 특유의 근면성과 성실성 그리고 끈기를 바탕으로 자리를 잡았다. 그러나 문제는 이들이 그 직업을 유지해 가는 데 필요한 최소한의 영어에 익숙해지고 난 뒤에는 더 이상 노력을 하지 않고 안주해 버린다는 것이다.

그러다 보니 새로운 사업에 진출하거나 다른 직종에 뛰어드는 경우가 드물다. 언어장벽이 만만치 않기 때문이다. 자녀들이 성장하면 그들이 쓰는 영어를 알아듣지 못해 곤란해지는 경우도 드물지 않다.

나는 한국에서 그들이 가졌던 재능과 실력이 미국사회에서 제대로 발휘되지 못하는 것을 늘 안타깝게 생각한다. 게다가 그 이유가 대부분 영어의 장벽을 넘지 못한 때문이라는 것을 알기 때문에 그 문제를 더 가슴 아프게 생각한다.

영어만 잘한다면 그들은 보다 유익한 기회를 붙잡게 될 것인데도 영어 때문에 주저앉고 마는 사람이 얼마나 많은지 한국에서는 상상도 하지 못할 것이다.

무작정 외워가지고는 안돼

펜실베니아에 살고 있는 한 교포가 자신의 실수담을 들려준 일이 있다. 그는 한국에서 대학교육까지 받은 인텔리로, 미국에 이민온 후에는 장사를 하고 있었다.

그는 원래 하고 있던 장사를 그만두고 세탁소를 하기로 결정하고 기존 세탁소를 사려고 마땅한 곳을 찾아다니다가 여러 가지로 조건도 맞고 마음에 드는 세탁소를 찾아냈다. 문제는 주인과 이야기를 해보고 계약을 해야 한다는 것이었다.

그는 세탁소 주인과 만날 약속을 하고 전날 하루 종일 사전과 씨름을 하며 작문을 했다. '내가 이렇게 말하면 세탁소 주인은 저렇게 말하겠지, 그러면 내가 또 이런 말을 하면 되겠지.' 하고 장장 5~6 페이지에 달하는 시나리오를 만들었다. 그는 이 시나리오를 외우고 또 외우고 나서 연습도 열심히 했다.

마침내 세탁소 주인을 만나러 가는 날 그는 부인과 함께 세탁소까지 가서 부인은 차에서 기다리게 하고 혼자 세탁소 안으로 들어가 주인을 만났다. 인사를 건넨 것까지는 좋았는데 막상 본론에 들어가자 세탁소 주인은 그가 기대했던 것과는 전혀 다른 표현을 써서 말하는 것이었다.

그 순간 그가 준비한 시나리오는 무용지물이 되고 말았다. 예상이 빗나가자 당황해버린 그는 어떻게든 이야기를 이어보려 했지만 생각대로 말이 나오지 않았다. 머릿속은 뒤죽박죽이 되고 혼란스러워 입만 벙긋벙긋 하다가 결국은 세탁소를 뛰쳐나오고 말았다.

계약도 계약이지만 그는 자신이 저지른 어처구니 없는 실수가 너무 부끄러워 한동안 좌절감에 시달려야 했다. 그 세탁소 주인이 자신을 어떻게 생각했을까를 상상해보면 얼굴이 뜨거워졌고 밖에서 기다리던 부인에게도 낯이 서지 않았던 것이다.

언어라는 것은 현재진행형이다. 각 상황마다 거기에 맞는 적절한 표현이 그때그때 생겨나는 것이다. 그런데 과거에 외워둔 것을 현재 상황에 무조건 두드려 맞추려고 하면 거기에는 시차가 생기게 마련이므로 적절한 의사 소통은 이뤄질 수 없다.

그의 이야기를 듣고 나는 새삼 단순 암기의 한계를 실감하게 되었다. 아무리 좋은 표현도 그저 따로 외워두기만 한다고 해서 영어실력이 되는 것은 아니다. 예를 들어 특정한 상황에 처해서 이럴 때는 어떻게 말하면 좋을까 고민을 하다가 적절한 표현을 찾게 되면 그것은 금방 내것이 된다. 그러나 막연하게 상상하여 암기하는 것만으로는 실전에서 이용할 수 있는 힘이 되지 않는다.

영어의 D는 한국어의 ㄷ이 아니다

오랫만에 뉴저지에 있는 집으로 돌아가 한가한 시간을 보내고 있을 때였다. 미국에서 발행되는 한국 신문을 보고 있던 아내가 혼자 중얼거렸다.

"이게 도대체 무슨 소리지?"

나는 괜히 궁금한 생각이 들어 슬그머니 아내 뒤로 가서 신문을 들여다보았다. 커다란 글씨로 쓰인 제목에 잘 모르는 단어 하나가 눈에 확 들어왔다.

'밥돌'

밥돌이라니…… 내 머리 속에 순간 가장 먼저 떠오른 생각은 죄송스럽게도(?) 밥과 돌이 연관된 그 무엇…… 그러니까 혹시 밥을 지을 때 사용하는 특별한 돌이 있는 것이 아닐까였다.

이 이미지는 아주 순간적으로 머리에 떠오른 것이다. 그 말이 미국의 상원의원 밥돌(Bob Dole) 의원을 의미한다는 것은 물론 곧 이해했다. 그러나 어딘지 불편한 기분이 드는 것은 어쩔 수 없었다.

한국에서야 어쩔 수 없다고 하더라도 미국에서 만드는 신문까지도 꼭 그렇게 표기할 필요가 있었을까 하는 의문이 들었기 때문이다.

다 아는 이야기지만 우리말의 발음과 영어의 발음은 전혀 다르다. 우리가 아쉬운 대로 우리 말의 발음을 억지로 맞춰 영어의 발음을 흉내내지만 사실 이것은 매우 위험한 것이다.

특히 어릴 때 익힌 소리는 그 뿌리가 깊어서 성인이 된 후에는 쉽게 고칠 수 없다. 아무리 외국어 공부를 열심히 해도 그 말을 모국어로 사용하는 사람과 똑같이 이야기하는 것이 불가능한 것도 결국은 그 깊고 깊은 소리의 뿌리 때문이다.

정확한 발음을 구별해서 들을 줄 알아야 정확한 소리를 낼 줄도 알게 된다. 그러나 기본이 되어 있지 않으면 그 다음 단계로 나아가는 것 자체가 무리다.

한번은 미국의 어느 한인 교회의 목사가 교포 아이들을 모아놓고 영어로 설교를 한 일이 있었다. 교포 사회에서 그 목사의 영어실력은 꽤 괜찮다는 평을 듣고 있었다. 그러나 그것은 어디까지나 이민 1세들끼리 하는 이야기이다.

미국에서 태어났거나 어려서 미국에 와 미국인 못지 않은 영어를 구사하는 아이들에게 그의 발음은 아주 우스운 것이었다. 특히 그가 예수라는 말을 영어로 할 때면 아이들은 웃음을 참지 못하고 킥킥 웃어대곤 했다. 그가 공들여 발음하는 '지저스(Jesus)'는 미국 아이들이나 마찬가지인 한국교포 어린 아이들의 귀에는 이상하게만 들렸던 것이다.

그도 그럴 것이 Jesus란 단어의 발음은 단순한 것 같아도 외국인으로서는 [z]와 [s] 그리고 [dj]등을 뒤섞어 동시에 소리를 내야 하는 아주 복잡하고 어려운 발음이기 때문이다. 그런데 그 목사는 이 모든 발음을 한국어의 [ㅈ] 하나로 소리를 내고 있었으니 미국 아이들이나 마찬가지인 교포 어린이들의 귀에는 이상하게만 들렸던 것이다. 그렇다고 나는 그 목사님을 탓할 생각은 없다. 정확한 발음이 그만큼 중요하다는 얘기를 하고 싶을 뿐이다.

왜 내 말을 못 알아듣지?

역시 내가 잘 아는 교포 K씨의 이야기이다. 그가 미국에서 생활한 지는 꽤 되었지만 그의 영어실력은 아직도 걱정스러운 수준이다. 사실 일상생활 속에서 다른 사람과 의사소통이 잘 안될지도 모른다는 불안을 안고 살아가는 것처럼 참담한 일은 없을 것이다.

상대가 내 말을 잘 알아듣지 못하면 어쩌나…. 내가 저 사람이 하는 말을 이해하지 못하여 문제가 생기면 어쩌나…. 그런 걱정과 두려움은 정말 굉장한 스트레스를 준다. 그런데 그런 괴로움이 매일 계속된다고 상상해보라. 지옥이 따로 없다.

K씨는 가끔 내게 이런 불평을 늘어 놓았다.

"저쪽 수퍼마켓에 가면 그집 주인 아주머니는 내 말을 잘 알아듣는데 이쪽 가게는 그렇지 않단 말이에요. 다 똑같은 미국 사람인데 왜 그렇게 차이가 나는지 원. 그래서 나는 내 말을 잘 못 알아듣는 저쪽 가게에는 가고 싶지도 않아요. 주인 아주머니가 어찌나 멍청한지…."

그는 집에 가서도 부인에게 이런 식으로 화를 내는 경우가 많다고 한다. 그의 불만은 늘 한 가지다. "왜 미국인들이 내 영어를 알아듣지 못하는 거냐." 하는 것이다. 간혹 그의 말을 알아듣는 미국인이 있어서 그런지, 그는 문제가 자신에게 있다고는 생각하지 않으려고 했다.

그는 항상 자신의 말을 알아듣지 못하는 타인에게 비난의 화살을 돌리며 화를 냈다. 그는 자신의 말을 잘 이해하지 못하는 미국인의 '멍청함(?)'을 맹렬히 비난한다. 그는 위로받고 싶은 것이다. 자신의 영어에 문제가 있는 것이 아니라 그의 말을 잘 알아듣지 못하는 미국인에게 문제가 있는 것이라고 생각하고 싶은 것이다.

의사소통은 결국 상호작용의 결과이다. 잘못은 반드시 상대에게만 있는 것은 아니다. 나의 잘못인 경우가 오히려 더 많다.

나는 한편으론 그가 안됐다는 생각을 하면서도 그의 앞날이 걱정스러웠다. 그의 미국생활에는 얼마나 스트레스가 많겠는가. 언어장벽이란 그런 것이다. 그것을 넘지 못하는 한 괴로움은 어쩔 수 없는 것이다.

친구처럼 편한 외국인에게서 배워라

나의 체험에 비추어 볼 때, 외국어를 가르치는 교사들이 명심해야 할 것은 학습자들이 실제 목적을 가지고 자연스럽게 언어를 습득할 수 있도록 도와주어야 한다는 점이다. 나에게 있어서 마틴 수녀와 브랜든 신부가 이 두 가지 측면에서 아주 훌륭한 교사였음은 앞에서 이미 말한 바 있다.

우리는 함께 일을 하기 위해 영어로 이야기를 하였기 때문에 그것은 정말 실질적인 목적하에 수행되는 영어학습이나 마찬가지였다. 또 그 과정에서 발음이나 문법상의 교정을 받았기 때문에 공부가 아주 자연스럽게 진전되었다.

'외국어를 자연스럽게 배운다.'는 것 이상 좋은 환경이나 방법은 없다고 생각한다. 그 과정에서 학습자가 어떤 말을 하고 싶다는 실질적인 목표를 가질 때 외국어 학습은 가장 효과적일 수 있는 것이다.

지난 95년 여름방학을 이용해 한국에 갔을 때 나는 우연히 광주고 시절 제자의 아들과 만날 기회를 갖게 되었다. 중학교 2학년생인 그 아이는 영어를 잘하고 싶다는 욕구가 매우 커서 내 제자는 아들의 영어공부에 도움이 될 만한 이야기를 직접 들려주려고 나를 만나는 자리에 아들을 데리고 나온 것이다.

그날 그 아이는 중학교 2학년 영어 교과서를 들고 왔었다. 그 책을 받아서 잠시 훑어보니 두 사람이 대화를 연습하는 부분이 있었다. 나는 그 중학생에게 그 교과서에 나온 대화 부분을 실제 상황인 것처럼 연습을 해본일이 있느냐고 물었다. 그의 대답은 안타깝게도 '노(No)'였다.

중학교 2학년용 영어교과서에는 열심히 연습하면 실제로 활용하는 데 크게 도움이 될만한 내용들이 꽤 많이 실려 있었다. 그럼에도 불구하고 학생들은 그 내용을 실제 상황으로 응용하는 훈련을 전혀 받지 못해 그 아까운 내용을 흘려 버리고 있었다.

교사의 책임은 학생들이 스스로 말을 하도록 격려해주면서 언어학적인 자원을 끊임없이 공급해주는 것이다. 그래서 아이들이 자신감을 가지고 연습하면서 그 표현을 완전히 이해할 수 있게 해주어야 한다.

사실 내가 영어공부를 해온 과정의 상당 부분은 어떤 상황을 가정하고서 그럴 듯하게 연기를 하는 것이었다. 그것은 다른 사람들의 눈에는 일견 자연스럽게 보였을지도 모르지만 나로서는 정말 어려운 일이었다. 이 과정에서 느끼는 어려움을 덜어주는 것은 전적으로 교사의 몫이다. 학습자의 불안을 덜어주는 것이 외국어 교사의 가장 큰 임무인 것이다.

결국 가장 좋은 교사는 친구 같은 외국인이다. 친구처럼 부담을 느끼지 않는 외국인과 편안한 분위기에서 무엇인가 의미 있는 이야기를 시도하는 것이 외국어 학습의 최적의 환경이다.

외국어를 배우는 과정에서 흔히 저지르기 쉬운 실수가 말을 위한 말을 무의미하게 되풀이하는 것이다. 학습자는 왜 내가 말하고 쓰고 듣고 이해해야 하는가를 스스로 납득할 수 있어야 한다. 그

것이 가능할 때 비로소 외국어 학습은 발전의 가도를 달리게 된다.

일단 이러한 단계에 진입하게 되면 남는 것은 언어의 사용범위를 확대해 가는 것이다. 언어라는 것이 기본적으로 사회적인 것인 만큼 여러 사람을 만나서 접촉을 해보아야 한다.

단지 다른 사람들과 친해지기 위해서 말을 하기도 하고 때로는 학문적인 목적을 위해서 말을 하기도 한다. 이러한 다양한 상황에 스스로 찾아가 부딪쳐야 비로소 언어를 진정으로 사용하는 방법을 배우게 되는 것이다.

언어를 배우기 위해 설정해야 하는 상황은 어떤 것이 가장 좋다고는 말할 수 없다. 사람마다 관심과 체험이 다르므로 그것을 기반으로 하여 가장 적합한 것을 골라야 한다. 그래야만 외국어 학습자가 자신의 생각을 집중하여 말로써 의미를 만들어 갈 수 있기 때문이다.

결국 내가 그 중학생에게 해준 충고도 외국인 친구를 만들어 보라는 것이었다. 처음에는 말이 잘 통하지 않아도 서로의 집을 방문하고 함께 시간을 보내노라면 자연스럽게 의사교환을 할 수 있을 것이기 때문이다.

최근 그 제자가 보내온 편지에는 패트릭이라는 미국 대학생이 일주일에 세 차례씩 집으로 와서 아들의 '친구'가 되어주고 있는데, 듣기 훈련이 썩 잘 되고 있는 것 같다며 아들이 퍽 만족해 한다고 적혀 있었다.

언어는 문화다

미국에서의 이름 부르기

미국에서의 교수생활은 말할 수 없이 바쁘다. 일단 학기가 시작되면 나는 하루가 어떻게 지나가는지도 모르게 바쁜 생활에 빠져들곤 한다. 그래서 방학이 되면 뉴저지에 있는 집으로 돌아와 오랜만에 한가한 생활을 즐기며 푹 쉬곤 한다.

미국에 사는 교포들에게 교회에 가는 것은 아주 중요한 일상생활이다. 나도 예외는 아니어서 일요일이면 아내와 함께 교회에 나가곤 하는데 이때 교포들과 만나 이런저런 이야기를 나누며 이국생활의 고민을 나누기도 한다.

어느날 평소 친하게 지내던 교포들과 저녁식사를 함께 하게 되었다. 오랜만에 편안한 기분으로 술이 한잔씩 돌아가자 김모씨가 이런 이야기를 꺼냈다.

"미국에 살려고 오긴 했지만 가끔은 속상할 때가 많아요. 물론 압니다. 우리는 미국생활에 적응해서 이 사람들이 사는 방식으로 살아가야겠지요. 그런데 며칠 전에는 어떤 새파랗게 젊은 놈이 나에게 '미스터 김'이라고 부르지 않겠어요? 어찌나 화가 나는지…… 미국에 살다보니 별 일을 다 겪어요."

웬일인지 한국에서는 '미스터'라는 호칭이 아랫사람을 부르는 것으로 인식되고 있다. '미스터 김', '미스터 박'이라고 부르면 마치 '김군', '박군'하는 식으로 가벼운 느낌이 드는 모양이다. '미스 김'하고 부르는 것도 마찬가지다.

미국에서는 그렇지 않다. 미스터는 존칭이다. 나는 낯선 사람을 만났을 때 '미스터'처럼 편한 호칭은 없다고 생각한다. 대통령 앞에서도 '미스터 프레지던트'라는 표현을 쓸 수 있으니 여러 모로 편하지 않은가.

그런데도 미국에 온 한국인들은 미스터, 미세스, 미스라는 호칭을 좋아하지 않는다. 심지어는 그렇게 불렀다고 화를 내는 사람들도 있을 정도이다. 미국에 와서도 한국식 언어습관에 젖어, 미국 실정을 알아보려 하지 않으니 영문도 모른 채 기분만 상하는 것이다.

미국에서 '미스터', '미세스'라는 호칭을 쓴다면 그것은 결국 그들 사이의 거리감을 극복하지 못했다는 뜻이다. 미국인들에게 'Mr'와 'Mrs'가 어떤 의미인지 아는 것도 중요하지만, 그런 호칭을 쓰지 않고 서로 이름을 부르는 사이가 되어 미국사회에 더 친근하게 접근할 필요가 있다. 8)

---

8) (1) 어느 면에서는 first name으로 서로 호칭하는 것은 '사교적 거리'를 좁혔다는 증거이다. 예를 들면 내심 멀리하고 싶은 사람한테는 끝내 last name에 "Mr"를 철저히 붙이는 것은 '존경의 의미'가 아닌 '감정'의 거리를 두고 싶어함이니, first name으로 자기를 호칭할 때 기분 나빠하지 말 것.

미국은 용광로가 아닌 샐러드 보울

내가 미국에서 교사생활을 하며 담당했던 과목은 영어뿐 아니라 사회 과목도 있었다. 국민학교의 사회생활이라고 하는 과목은 역사 지리 등을 포함한 것으로 사실상 내게 주어진 이 과목은 가장 미국적인 것이었다.

---

(2) 서로 안면이 있는데도 용건이 있어 집에 찾아가 문을 두드릴 때, 문만 연 채로 안에서 그대로 이야기만 하고 들어오라 하지 않을 때는 한국에서는 기분이 상하는 일이지만 미국 사람들은 그것으로 기분 상하는 사람은 거의 없다. 왜냐하면 자기와의 감정의 거리가 아직은 멀다고 생각할 따름이다. 한국에서 처음 온 사람들은 몹시 기분 상함이 당연하다.

(3) 지극히 친한 사이가 아니면 (가족적으로 매우 친한 사람들끼리는 예외) 미리 약속이 없는 한 남의 집에 (자기의 생각으로는 할 만하다 해도) 느닷없이 찾아가지 말 것.

(4) 아무리 궁금해도, 상당히 친하다고 판단해도 상대방이 먼저 밝히기 전에는 남의 나이를 묻지 말 것. 그러기에 동료들의 생일을 축하하기 위해 미리 사람들의 생일을 기록하려고 돌아다니는 사람은 월(月)과 일(日)만을 묻지, 절대로 년(年)은 묻지 않음.

(5) 남의 집에 식사초대를 받아 대접을 받은 후에 감사하다는 카드를 보내는 것이 교양인의 처신임.

(6) 남 앞에서 트림은 주의하며, 본의 아닌 경우에도 소리를 작게 낼 것이며, 만약 소리를 타인이 들었을 경우 Excuse me를 꼭 할 것. 이것은 미국에서 지켜야 할 중요한 예절이다.

(7) 친한 것같이 생각하여 상대방한테 급료의 액수를 묻지 말 것.

(8) 문을 열고 들어갈 때 바로 뒤에서 따라 들어오는 사람이 있을 때는 꼭 문을 연 채 잡고 기다려주어야 교양인 대접을 받는다.

많은 미국의 학부형들이 그 점에 대해 신기하게 생각했다. 동양인 교사라고 하면 대개 수학이나 과학을 가르치는 것을 당연하게 생각하는 풍토에서 영어와 사회라니 의아하게 생각할 만도 했을 것이다.

나는 이 교사생활을 통해 언어에 인종이란 무관한 것이구나, 어떤 사람이든 자신이 태어난 사회의 언어를 익히게 마련이고 또 그 사회에서 교육받을 기회를 갖게 되면 다 그 나라의 언어를 잘 할 수 있게 되는 것이구나, 라는 것을 깨달았다. 이 체험은 내게 심리적 자신감을 확고히 해주는 중요한 계기가 되었다.

처음에는 미국에 가서 '나는 누구인가?' 라는 고민을 많이 했었다. 아주 초기에야 미국생활에 적응하느라고 아무 생각도 없을 때였으니 그런 생각을 하지 않았지만 시간이 흐르면서 점점 그런 생각이 자라가기 시작했다.

나는 미국인일까, 아니면 한국인인가. 그것도 아니라면 이것도 저것도 아닌 제3의 그 무엇일까. 나의 아이덴티티에 관한 스스로의 물음에 시달려야 했다.

나의 고민은 미국사회 전체의 변화와 맞물려 서서히 변화해 갔다. 내가 미국땅을 처음 밟았던 시기만 해도 미국인이라고 하면 대체로 백인을 의미했다. 그러다가 소위 '용광로(Melting Pot)' 라고 하는 이야기가 나오기 시작했다.

용광로란 말을 쓴 것은 아시아인이건, 아프리카인이건 누구라도 미국에 오면 인종이나 민족을 초월하여 미국인이라는 새로운 인종으로 탄생한다는 의미에서였다.

그러나 세월이 흐르면서 미국사회가 깨닫게 된 것은 민족과 인종, 국가의 뿌리는 그렇게 쉽사리 녹거나 뒤섞이는 것이 아니라는 점이었다.

그래서 이제 미국인들은 '용광로'라는 말 대신에 '샐러드 보울(Salad Bowl)'이라는 말을 쓴다. 결국 용광로의 꿈은 깨지고 만 것이다.

샐러드 보울이라는 말을 쓰는 것은, 샐러드에 들어간 각각의 재료가 자신의 성질을 생생하게 유지하면서도 다른 재료와 조화를 이루고 있는 성질, 즉 각각은 다르지만 섞어서 먹으면 전체로서 독특한 맛을 내는 점을 중시한 것이다.

사실 이것은 이제 미국이 안고 가야 할 어쩔 수 없는 미국의 숙명이다. 요즘에는 미국에서 언론들도 그저 막연히 미국인이라는 말을 쓰기보다는 '한국계 미국인'이라든지 '라틴계 미국인'이라는 식으로 각각의 출신을 알리는 방향으로 구분한다. 대학에서도 이러한 다문화적인 특성을 중시하는 교육을 한다. 개체의 특성을 인정하며 동시에 전체의 조화를 살리는 방향으로 나아가고 있는 것이다.

재미교포들의 영어

우연히 어느 교회에서 한 장로가 한국 아이들에게 하는 이야기를 듣게 되었다. 그는 서툰 영어로 미국에서 태어난 교포 아이들에게 이렇게 말하고 있었다.

"너희들 열심히 공부해야 한다. 무슨 일이 있어도 미국 아이들에게 져서는 안된다."

나는 그 말을 듣고 어이가 없었다. 미국에서 태어나 미국에서 미국식 교육을 받아 스스로 미국인이라고 생각하는 아이들에게 "미국 아이들에게 져서는 안된다"고 말하다니, 게다가 그 아이들은 대부분 미국 국적을•갖고 있으니 법적으로도 손색 없는 미국인인데 말이다.

그 아이들은 무슨 생각을 하겠는가. 결국 그 아이들은 자신들이 미국이라는 나라의 주인이 아니라 곁방살이를 하는 신세인 모양이다 라고 받아들일지도 모른다.

이민이라는 것은 결국 미국에 살아보겠다고 한국을 떠나는 것을 의미한다. 그렇다면 미국에서 주인이라는 생각을 가지고 주류사회에서 살아보려고 노력해야 한다. 그런데 스스로가 곁방살이를 하고 있다는 느낌을 갖게 만드는 것은 어린 아이들에게 할 말은 아니었다는 생각이 든다.

미국의 시민권을 갖고 미국에서 살아가는 이들은 사실상 미국인이다. 그들이 한국인으로서의 자부심을 갖고 그 문화적 뿌리를 잃지 않는다는 것과 미국사회에서 당당하게 주인 노릇하며 산다는 것은 충분히 양립할 수 있는 일이다. 또 그렇게 해야만 한다.

한국이라는 민족적 · 문화적 고향에 건강한 뿌리를 내리고 미국에서 당당하게 사는 것, 그것이 정말 바람직한 이민상이 아닐까. 이제 우리 나라의 미국 이민 역사도 수십 년을 헤아린다.

그렇다면 더 이상 나그네는 아니지 않은가. 구석방에 있는 듯 움츠리지 말고 씩씩하게 살자는 것, 그래야 더 편하게 살 수 있다는 것이 나의 생각이다.

미국에 있는데 왜 영어가 늘지 않지요

미국에 오래 살면서 이런저런 한국사람들을 만난다. 그 중에는 교포도 있고 유학생도 있는데 요즘 들어 영어 연수를 위해 미국에 오는 한국인들이 부쩍 늘었다는 것을 실감하고 있다. 이들 중에는 단기 어학 연수를 위해 미국에 오는 대학생들도 적지 않지만 기업체 등에서 파견한 경우도 꽤 많다.

회사원이나 공무원이라면 일을 하면서 그 누구보다도 외국어의 필요성을 절감하는 사람들이다. 그러나 이들이 미국에서 1~2년을 보내고 한국으로 돌아가는 모습을 볼 때마다 나는 저 사람들이 과연 무엇을 얻고 가는 것일까, 미국에 온 보람이 있었을까 하는 걱정을 하게 된다.

그 중에는 한심스럽다는 생각이 들 정도로 아무런 성과도 없이 돌아가는 사람들도 있다. 물론 미국생활을 체험해보았다는 것만으로 만족하는 사람이 있을지도 모르겠다. 그러나 애초에 미국에 온 목적이 영어 연수가 아닌가. 그렇다면 거기에 걸맞는 성과를 얻어야 할텐데 대부분은 그렇지 못한 것같다.

흔히 외국어를 배우는 가장 좋은 방법은 그 언어가 쓰이는 나라에 가서 사는 것이라고 한다. 백번 지당한 말이다. 그런데도 현실은 그렇지 않다. 왜 그럴까. 그들은 그 언어가 쓰이고 있는 현장을 피하고 있기 때문이다.

한국의 한 전자업체 직원이 내가 사는 지역 근처의 대학으로 연수를 하러 온 일이 있었다. 그는 몇 달 후에 나를 찾아와 한숨을 쉬며 이렇게 고민을 털어 놓았다.

"미국에 왔는데도 왜 영어가 늘지 않지요?"

나는 그 말을 듣고 슬그머니 웃음이 나왔다. 그도 그럴 것이 그는 일단 영어수업이 끝나면 부리나케 근처의 한인 타운으로 달려가곤 했다. 그는 늘 한인타운에 가서 한국사람을 만나고 한국식당에 찾아가서 한국음식을 먹고 저녁이면 한국술집에 가서 한국사람들과 술을 마시고, 또 노래방에 가서 한국노래를 부른다. 말이 미국이지 그는 한국에 사는 것보다 더 한국식으로 살았다. 그저 미국인으로부터 영어수업이나 듣자는 것이라면 굳이 미국에 올 필요가 없었을 것이다. 한국에도 그 정도의 수업을 받을 수 있는 곳은 얼마든지 있으니 한국에서 학원을 다니는 쪽이 더 낫지 않았을까 하는 것이 나의 냉정한 관찰이었다. 그랬더라면 가족과 떨어져 사는 괴로움도 없을 것이고 경제적으로도 이익이고 음식 때문에 고생하지도 않았을 것이다.

성인이 되어 외국어를 배우려면 고통이 따르게 마련이다. 미국사람 앞에서 서투른 영어로 이야기를 하자면 발음이 우스꽝스러워 창피나 당하지 않을까 두렵고 단어나 문법이 틀리지 않을까 겁이 나서 입이 떨어지지 않는다.

부끄러움을 무릅쓰고 더듬더듬 이야기를 하자면 등에서 식은 땀이 흐르고 힘이 쭉쭉 빠진다. '내가 이 나이가 되어 뭣 때문에 이 고생을 하는가.' 하는 생각이 들어 당장 포기하고 싶은 게 인지상정이다.

그래도 그 고통을 견디지 않으면 외국어는 내 것이 되지 않는다. 또 그렇게 노력해도 모국어를 사용하는 수준에 이른다는 것은 거의 불가능한 것이 외국어이다. 그 고통을 감내하고 극복할 자신이 없다면 아예 외국어를 배울 생각을 하지 않는 것이 좋다. 괜히 헛수고만 할 뿐이다.

나는 귀국할 때가 되면 어깨가 축 처져서 돌아가는 한국인들을 볼 때마다 어떻게 하면 저 사람들을 도울 수 있을까 생각해보곤 했다. 연수 프로그램을 만든다면 먼저 미국학생과 한국학생을 짝지어줄 필요가 있다고 생각한다. 미국학생들에게 이 연수생의 영어발전을 책임지고 도와주도록 해서 어디를 가든 짝을 이뤄 다니게 해야 한다.

아예 룸메이트가 되어 한 방에서 생활을 하는 것이 더 좋을 것이다. 외국인과 같이 생활하고 동시에 그들이 쓰는 언어에 대한 체계적인 수업을 받게 되면 실력은 놀랄 만큼 빨리 향상될 것이다. 특히 일상생활에서 늘 쓰는, 모국어 사용자에게는 한없이 쉽지만 외국인에게는 더없이 어려운 필수적인 표현들을 익힐 수 있으며, 외국인을 대할 때 느끼는 부담과 공포도 줄일 수 있다.

이런 식으로 '언어학습 환경'에 몰입시켜 두었다가 한 달에 한두 번은 대도시로 나가서 그 동안 배운 표현들을 실제 상황에서 다시 한번 점검해보는 실습과정을 실시하면 배운 언어를 내것으로 소화하는 데 큰 도움이 될 것이다.

이 과정에서 가장 중요한 것은 자신의 파트너와 끊임없이 대화하여 그때 그때 교정 받고 연습해보는 것이다. 이 과정이 고통스럽고 싫기야 하겠지만 그런 과정을 거치면 시간도 덜 들고 훨씬 더 영어다운 영어를 구사할 수 있을 것이다.

또한 파트너를 정하여 고정적으로 대화하는 것이므로 그때그때 그렇게 크게 당황하지 않을 수 있다. 미국 대학생 파트너는 학습자의 언어습관을 파악하여 훨씬 더 전문적인 도움을 줄 것이다.

그러나 어린아이라면 문제는 다르다. 그들에게도 어려움은 있지만 어른의 경우와는 비교할 수 없을 만큼 그 고통의 도가 낮다. 또 어린이의 경우에는 외국어 습득과정에서 느끼는 고통의 시간이 어른들에 비해 놀랄 만큼 짧다. 그래서 어릴수록 외국어를 배우기가 쉬운 것이다.

내가 조기교육의 중요성을 강조하는 것도 이러한 이유에서이다. 한 살 아니 하루라도 더 어릴 때 외국어를 배워라. 그쪽이 효과도 좋고 고통도 적다.

국물이 많다고요?

내가 다니는 교회의 신자 중에는 한국에서 기자로 일했던 경력을 가진 교포 김모씨가 있다. 그는 미국에 오기 전에도 영어를 상당히 잘했었다고 한다. 그가 갖고 있는 자신의 영어실력에 대한 자신감 그리고 소위 지식인이었다는 전력 때문인지 그의 자부심은 대단했다.

어느 일요일, 예배가 끝나고 나서 여러 사람들과 함께 점심식사를 하게 되었다. 그 자리에는 얼마 전 한국에서 왔다는 이모씨도 자리를 같이 했다. 김씨는 나에게 그를 소개하면서 이렇게 말했다.

"하 교수님, 이 선생은 한국에 있을 때 아주 좋은 자리에 있었답니다. 소위 말하는 '국물이 많은 곳' 이지요."

그는 엄지 손가락을 세우고서 장난기 가득한 표정으로 이렇게 외쳤다. (이것은 옛날 이야기이므로 오늘의 기자로 받아들이지 않기 바란다.)

"수프(Soup)가 아주 많은 곳 말입니다. 수프, 수프!"

그가 어찌나 자신 있게 수프란 말을 사용하는지 나는 차마 그것을 고쳐주지 못했다. 미국에서는 소위 '생기는 것이 많은 직업' 즉 부수입이 많은 직업을 가리켜 'fat job'이라고 한다. 그렇다고 내가 그 자리에서 "그게 아닙니다. 미국에서는 그런 경우에 수프란 말을 쓰지 않아요."라고 할 수는 없는 노릇 아닌가.

지나가는 소리로라도 내게 한번 물어보았으면 좋았을 텐데……. 나는 그런 일이 있을 때마다 제대로 된 표현을 알려주고 싶은 마음이 굴뚝 같지만 그저 마음뿐, 늘 기회를 놓치곤 한다.

미국에 와 살면서 의사 소통을 하는 데 별 지장이 없으니 그저 그것으로 만족하고 자신이 영어를 꽤 잘 하고 있다고 믿는 사람들에게 실망을 주고 싶지 않아서이다. 결국 그날 그가 한 말은 문화의 차이를 무시하고 언어를 그대로 번역했을 때 나올 수밖에 없는 한계를 여실히 드러내준 것이었다.

미국에 사는 한국 교포들은 사실상 영어를 배우는 데 최적의 조건에서 살고 있는 셈이다. 외국어를 배우려면 그 언어가 쓰이는 나라에 가는 것이 가장 좋은 방법이라고 하지 않는가. 바로 그 영어가 쓰이고 있는 나라에 갔으니 그보다 더 좋은 학습현장이 어디 있단 말인가.

그럼에도 불구하고 미국의 한국인들은 그 최상의 조건을 제대로 활용하지 못하는 것 같아 늘 안타까운 느낌이 들곤 한다. 같은 이민자 중에서도 유럽 출신이나 남미 출신들은 어법에 맞든 말든 개의치 않고 멋대로 영어를 사용하는데 한국인들은 유난히 입이 떨어지지 않아 주저하고 있는 경우가 많다.

물론 마구 말만 한다고 영어가 느는 것은 아니다. 언어는 문화이므로 문화도 따라 익히도록 애를 써야 한다. 그 점에 주의하지 않으면 현실과 동떨어진, 말을 위한 말만을 하게 되는 결과를 낳을 것이기 때문이다. 그러나 너무 조심성스러워서 주저하기만 하는 태도도 좋은 것은 아니다.

역시 우리 교회에 다니는 한 교포는 나를 만날 때마다 "하 교수님이 이 근처에서 강의를 하신다면 제가 영어를 배울 수 있을텐데……"라며 아쉬워 하곤 했다. 나는 그가 그런 의지를 갖고 있는 한 언젠가 영어를 제대로 배울 수 있으리라고 생각한다. 문제의식을 갖고 있는 사람에게는 기회가 주어지게 마련이기 때문이다.

큰일났다, 한국 영어

A,B,C,D 쓸 줄 몰라도 된다

지난 95년 여름 방학을 이용해 서울에 가 있는 동안 가끔 호텔 근처의 대형 서점에 나가 보았다. 관심사가 온통 영어에 쏠려 있어서 그런지 일단 서점에 들어서기만 하면 나도 모르게 발길이 영어 학습서 코너 쪽으로 돌려졌다.

별다른 일정이 없어 한가했던 어느날 오후, 나는 영어교재를 좀더 세심하게 읽어볼 필요가 있다는 생각을 하며 서점문을 들어섰다. 이날 내가 살펴본 책은 모두 11권, 대부분 국민학교용 영어 학습 교재였다.

놀라운 것은 이 모든 교재들이 한결같이 알파벳을 익히는 것에서 시작하고 있다는 것이었다. 만일 이 교재들이 지시하는 바를 그대로 따라하는 교사가 있다면, 그 교사는 맨 첫 시간에 아이들에게 ABCD를 어떻게 쓰는지부터 가르칠 것이다.

한국의 국민학생들이 영어라고 하는 미지의 세계를 처음 접하는 그 순간을 상상해 보자. 이제 일곱 살이나 여덟 살이 된 그 어린이는 외국어라고 하는 어쩌면 신기하기도 하고 한편으로 두렵기도 한 세계에 호기심을 갖고 처음 발을 들여놓게 될 것이다.

그런데 그 아이들이 맨 처음 하는 일이 고개를 푹 수그리고 앉아 펜맨쉽의 점선을 따라 알파벳을 그리고 있는 것이라면 그것은 솔직히 말해서 끔찍한 일이다. 아이들은 영어가 굉장히 지루하다고 느낄지도 모른다.

처음부터 새로운 문자를 외워야 한다는 부담과 압박감을 심하게 느껴 아예 영어를 싫어하게 될지도 모른다. 그것은 또 소리에서부터 시작한다고 하는 언어의 자연논리를 거스르는 결과를 낳는다. 어쩌면 이러한 영어교육 방식이 오늘날 한국의 영어실력을 겨우 이 수준에 머무르게 했는지도 모른다는 것이 나의 생각이다.

반복되는 이야기이지만, 하나의 기호로서 고립된 문자란 사실 의미가 없는 것이다. 단어 하나라도 어떤 상황에서 쓰이느냐에 따라 그 의미가 전혀 달라지듯이 알파벳 하나라도 주어진 상황이 있어야 의미가 살아나는 것이다. 부탁하건대 문자를 익히는 것이 외국어의 첫걸음이라는 고정관념을 버리도록 하자.

영어에 한글표기를 하지 말라

어린이용 영어 교재들은 한결같이 한글로 발음을 표시해 놓았다. 발음 기호를 제대로 모르는 아이들을 상대로 한 것이니 어쩔 수 없다는 점은 충분히 이해하지만 그래도 이것만은 피해야 한다.

영어에 한글 표기를 달아 가르치는 것은 그렇지 않아도 배우기 어려운 영어, 제대로 배워도 정확한 소리를 내기 어려운 영어를 더 어려운 지경으로 몰아넣는 결과를 낳게 된다.

교사들은 자신이 정확한 발음을 가르치든지 아니면 카세트 테이프 등을 통해서 아이들에게 정확한 발음을 들려줄 수 있다. 아이들도 제대로 듣고 이해할 것이다. 그런데 책에 한글로 부적당한 발음을 표기해 놓으면 아이들은 혼란에 빠지게 된다.

영어를 배우는 데 있어서 한글 표기란 매개는 불필요한 것이다. 우리가 모국어를 익힐 때, 문자와 기호 같은 매개 없이도 얼마든지 단어와 표현을 익혀 나가는 것처럼 외국어도 마찬가지다.

아이들의 머리 속에 단어나 어떤 표현의 소리가 먼저 저장되고 나면 그것으로 충분하다. 아이들은 얼마든지 이해하고 배운다. 그리고 나서 나중에 그 소리에 일치되는 상징으로서 문자를 익히고 배우면 되는 것이다.

아이들은 자신이 귀로 듣는 미국인의 발음과 자신이 책에 한글로 표기된 대로 낸 발음은 분명히 다르다는 것을 곧 깨닫게 된다. 이 차이를 아이들은 어떤 식으로 소화해낼까. 어린이들로서는 눈으로 보는 한글표기에 의지할 수밖에 없을 것이다.

한번 듣고 지나가 버리는 '소리'보다는 눈에 보이는 한글표기 발음이 더 확고하게 보이기 때문이다. 그래서 이 발음이 화석처럼 굳어져 버리면 그것은 정말 큰 문제이다.

어릴 때 잘못 익힌 발음은 고치기 어렵다. 게다가 문자와 소리와의 관계는 언어의 기초이다. 이 기초부터 흔들리게 되면 기대할 수 있는 결과란 뻔한 것이다.

나는 우리 재미교포 1세들이 이러한 교육의 결과를 생생하게 증언해주고 있다고 생각한다. 한국에서 성인이 되기까지 교육을 받고 미국땅을 밟은 교포들은 소위 한국식 영어발음, 즉 영어발음을 한국어로 표기했을 때 나는 소리를 그대로 영어로 쓰고 있다.

그것만큼은 누구라도 피하고 싶을 것이다. 그런데도 현실은 그것이 아직도 지속되고 있음을 보여준다.

나는 이 어린이용 교재들을 보면서 솔직히 이렇게 생각했다. 이 책들은 어린이들에게 영어를 가르치자고 존재하는 것인가, 아니면 초기부터 영어를 망쳐 버리자고 만든 책인가. 이것은 정말 너무나 두려운 출발이다.

미국아이들도 먼저 소리를 익히고 그 뒤에 문자를 배운다. 그것은 한국아이들도 마찬가지다. 그것이 언어의 본질이고 언어를 익히는 자연스러운 방법이므로, 그 방식으로 익힐 때의 결과 역시 가장 효과가 높은 것이다.

예컨대 영어의 'J'를 한글의 'ㅈ'로 표기했을 때의 잘못된 출발의 해독은 나중에 너무나 크게 돌아온다.

한국 영어 교재, 오류 너무 많다

처음에 어린이용 영어책을 들쳐보기 시작한 것은 그저 어떤 책으로 영어 공부를 시작하는지 알아보기 위한 것이었다. 나는 별 생각 없이, 어린이용 영어 학습서를 한 권 집어서 들여다 보았다. 그러나 책장을 채 몇 페이지 넘기기도 전에 "아이구!" 소리가 절로 나왔다.

특히 어린이용 영어교재에는 예상보다 어이없는 실수가 많아 나도 모르게 그만 긴장하고 말았다. 나중에는 아예 메모지를 한 장 꺼내들고 하나씩 적어나가기 시작했다.

나를 맨처음 어리둥절하게 만든 문장은 "God bless you!"였다. 이 말은 상대가 재채기를 했을 때 해주는 말이다. 굳이 뜻을 따지자면 '재채기 하는 게 힘드니까 신의 가호가 있기를'이라고 말하는 것인데, 관용적인 표현이어서 이제 와서 그 뜻을 따져 본다는 것이 새삼스럽기조차 한 그런 말이다.

그런데 어느 어린이용 교재에는 이 말이 'God'도 생략한 채 그냥 "Bless you."라고만 되어 있었다. 한층 더 어처구니 없었던 것은 그 뜻풀이였다. 이 말의 뜻이 '괜찮아' '걱정 마'라고 되어 있었던 것이다. 거기에는 친절하게도 '한국어에는 없는 말이다.'라는 설명까지 덧붙여 있었다.

물론 "God bless you."라는 말 안에는 그런 뜻이 없는 것은 아니다. 그러나 영어를 처음 배우는 아이들이 이 말을 곧이 곧대로 받아들여 그대로 기억해두었다고 생각해보자.

그리고 미국인들과 이야기하는 자리에서 '괜찮다.'거나 '걱정하지 말라.'는 뜻으로 말해야 할 때마다 "God bless you."라고 말한다고 가정해보자. 당장 웃음거리가 되고 말 것이다.

또 한 가지 예로 "That's too bad."란 표현이 있다. 그 책에 의하면 이 문장의 뜻은 '불쌍하다'였다. 그러나 정확하게는 "네 처지가 참 안됐다."라는 의미를 담은 말이다. '불쌍하다.'라고 말하는 경우와는 의미가 다르다. 이것은 제 3자의 입장에서 상대를 보니 참 안되었다는 뜻인데 여기에 이렇게 부적합한 뜻을 과감하게 달아 놓으면 학습자들은 불가피하게 혼돈을 겪게 된다.

뜻을 분명하게 해주지 않았기 때문에 실제로 그 말을 사용해야 하는 순간에 문제가 생기게 되는 것이다.

중학교 검인정 교과서들도 참고서류보다는 형편이 나았지만 잘못된 부분이 적지 않았다. 그 예를 일일이 여기에 다 들 생각은 없지만 전치사의 잘못 쓰여짐을 비롯 영어 사용권의 문화적 배경을 이해하지 못한 표현들이 눈에 띄었다. 9)

외국어를 배우는 것은 이래서 어려운 것이다. 또 그렇기 때문에 제대로 배워야 한다. 나는 속으로 '이렇게 틀린 내용의 교재로 공부하는 것은 차라리 안 배우느니만 못하다.'는 생각이 들었다.

---

9) 검정교과서들의 분석 결과: 중학교 1학년 검정교과서 두 권들 속에 다음과 같은 것들이 나타났음.

1. "Is this Toby?" (교과서에서는 다른 이름) 하고 물었을 때, Right.하고 대답(Right의 사용은 잘못. Yes로 해야 함).

또 하나 미국 주택의 내부를 설명하기 위해 그 집과 이름들을 적어 놓았는데, 한 미국소녀가 공부를 하고 있는 방에 STUDY ROOM(한국 '공부방'을 직역한 것 같음)이라고 붙여 놓았다. 미국사람들은 study room이 무슨 방인지 짐작조차 못한다. 문화의 소산물이 언어이기에 아무리 study가 적혀 있어도 통하지 않는다. study hall하면 미국 high school의 자습실이기 때문에 당장 알고 남음이 있다.

Signs on the 5th avenue(5가에 있는 Sign들)에서 the를 쓰는 것은 큰 잘못이다.

전후 상황이 있어야 하지 않을까

다음 문장들은 그날 내가 본 영어교재에 나열되어 있는 예문들이다.

"Please sit down."

(앉으세요.)

"Please open the window."

(창문을 열어주세요.)

"Come here."

(이리 와.)

"Go to your desk."

(네 책상으로 가.)

나는 이 다섯 개의 문장을 읽으며 곰곰 생각했다. 도대체 이 각각의 문장들은 서로 무슨 관계가 있기에 이렇게 나열되어 있는 것일까. 무엇하러 서로 아무 연관도 없는 문장들을 나열해 놓은 것일까.

대부분의 어린이 영어 교재들은(성인용 교재에도 그런 경우가 많지만), 서로 아무 관련도 없는 문장들을 마구 늘어 놓고 있다. 도무지 앞뒤 문맥이라는 것이 없다. 만일 이런 식으로 서로 연관되지도 않는 문장을 늘어놓기로 한다면 수십, 수백, 수만권의 책으로도 모자라지 않겠는가.

또 한 가지 예를 들어보자. 교재 안의 한 과의 제목이 "I can swim fast."(나는 빨리 헤엄칠 수 있다.)였다. 나는 이 제목을 보고 제법 재미있는 이야기가 나올 수 있겠다 싶어서 한껏 기대를 하고 다음을 보았다.

그 다음에 이어진 예문은 이런 것들이었다.

He can run very well.(그는 매우 잘 달릴 수 있다.)

I cannot play the baseball.(나는 야구를 할 수 없다.)

Can you play the violin, Kate?(케이트, 너는 바이올린을 연주할 수 있니?)

We are going to have a party tomorrow.(우리는 내일 파티를 할 예정이다.)

나는 허탈했다. 여러 문장을 하나로 묶었으면 뭔가 배워 보자는 목적이 있었을 텐데 그것이 무엇을 위해 나열되었는지 궁금했다.

이 정도의 제목이라면 아이들의 체험과 상상을 부풀려서 마음껏 이야기를 나눠보는 아주 재미있는 수업이 가능할 텐데…. 나는 아쉬운 마음을 금할 수 없었다. 수영과 연관시켜 아이들에게 해 줄 수 있는 얘기가 얼마나 재미있고 많이 있는데…. 아마도 이러한 책들을 교재로 공부하는 아이들이 얻을 수 있는 최대한의 성과라면 독립된 몇 개의 문장뿐일 것이다.

나는 교사들이 이런 문장들을 가르칠 때 어떤 방식을 쓰는지 몹시 궁금하다. 그 한 문장, 한 문장에 대하여 상황을 만들어 가르칠 수도 있을 것이다. 그리고 그렇게 할 수만 있다면 그것은 분명 이상적인 수업방식이다.

만일 그렇지 않다면 교사는 그 문장을 한 문장, 한 문장 읽고서 번역하는 데 그칠 것이다. 아이들은 막연하게나마 조동사 'can'이 '할 수 있다'는 의미를 나타내는 데 쓰인다는 것을 이해할 수 있을지도 모른다. 그러나 그것을 알자고 이 무의미한 문장들을 지루하게 나열할 필요는 없지 않은가.

그렇다면 그것은 일제시대에 배우던 영어와 아무 차이도 없는 것이다. 외워둬 봐야 평생 입에 올려 볼 일이 없는 말, "I am a boy." "You are a girl." 등 누가 너는 소년이고, 소녀이냐고 물을 리가 없지 않은가. 그러나 실생활에서 사용하지 못한다면 다른 어떤 문장도 이 문장과 별로 다를 것이 없다.

Mistake 와 Error

이번에는 문법 쪽을 살펴보자. 정확하게 말하면 문법 측면에서 본 영어 교재들의 문제점이다.

나는 첫번째 책을 보다가, 마치 길을 걷다가 돌부리에 채어 넘어지듯 깜짝 놀라고 말았다. 내가 걸려 넘어진 첫번째 문장은 "We can look many flowers."였다. 이미 중학교 영어 시간에 누누이 배운 내용이 아닌가. 'look'은 그 다음에 at, on, into같은 전치사가 따라와야 목적어를 받을 수 있다. 'look'이 불완전 자동사의 역할을 할 때와 두 사람이 대화를 나눌 때 주의를 환기하기 위해 "look"이라는 말을 하는 경우이다.

"We can look many flowers."라니, 그것도 어린이들을 위한 영어 책에 이런 표현이 버젓이 나온다는 것은 이해하기 어려웠다. 적어도 이런 책을 낼 때는 영어를 모국어로 하는 전문가의 감수를 한 번쯤 받아야 하는 것이 아닐까.

나는 어린이용 영어 학습서에 적잖은 오류가 있다는 것을 알고 좀더 시간을 내어 책을 살펴보기로 했다. 여러 곳에서 문제점이 발견되었다. 그런 실수가 등장하게 된 배경에는 여러 가지 요인이 있을 것이다. 저자가 정말 몰라서 또는 잘못 알고 있어서 그런 표현을 썼을 수도 있고, 편집이나 교열의 실수도 있을 수 있다.

「실수」라는 뜻의 'error'와 'mistake'는 언어학적으로 의미의 차이가 있다.

'error'는 어떤 분야의 지식이 없어 저지른 실수, 즉 몰라서 저지른 잘못을 의미한다. 위에서 든 예문의 경우, 저자가 'look'의 용법을 몰라서 그렇게 썼다면 그건 'error'다.

그러나 원래 알고 있었는데 순간적인 착각이나 부주의로 실수를 했다면 그것은 'mistake'다. 이 경우에는 다시 보면 '앗'하고 놀라면서 금방 맞게 고칠 수 있다. 어쩌면 그 영어 학습서의 저자도 인쇄된 책을 보고 나서 '앗'하고 놀랐을지도 모른다.

그러나 그것이 error든 mistake든, 교열상의 실수이든, 이유가 어떤 것이든 간에 관계 없이 결과는 마찬가지다. 아이들은 잘못된 것을 공부하고 있는 것이다!

나는 서점에서 영어 학습서를 보다가 문제가 있는 부분을 발견할 때마다 하나씩 메모를 해두었다. 여기에 굳이 그 책의 이름까지 밝히지는 않겠다. 그러나 영어 교육에 관심이 있는 부모라면, 자녀가 지금 보고 있는 영어책을 주의 깊게 살펴보기 바란다.

그 책 안에는 문법적으로 틀린 표현 또는 영어를 모국어로 쓰는 사람이 들으면 고개를 갸우뚱할 이상한 표현들이 들어 있을지도 모른다. 그리고 아이들이 그 틀린 표현을 열심히 외우고 공부하고 있다면 그것은 보통 큰 문제가 아니다.

'야구를 한다'와 '야구 시합을 한다'

국민학생용 영어 학습서에서 두 번째로 발견한 잘못된 문장은 "I play baseball game."이었다. 그 책에 친절하게 실려 있는 설명대로 이 문장이 '야구를 한다'는 뜻이라면 'I play baseball.'로 충분하다. 굳이 '야구시합을 한다.'는 의미를 담고 싶다면 그때는 'I play a baseball game.' 또는 'I play baseball games.'라고 해야 바른 표현이 된다.

그 다음으로 내 눈에 들어 온 문장은 'I am in bed.' 였다. 이 경우는 앞의 다른 문장보다 훨씬 더 치명적인 실수였다. 저자는 이 문장을 '나는 침대에 있다'로 번역했다.

그러나 이 문자의 정확한 뜻은 '나는 자고 있다.'는 것이다. 그러나 불행하게도(?) 이 문장은 논리적으로 성립이 되지 않는다. 잠자고 있는 내가 '나는 잠자고 있다.' 또는 '나는 잠잔다.'라는 현재형의 표현을 하고 있는 꼴이 되기 때문이다. 잠자는 사람이 대화를 하면서 자는 꼴이다.

만일 '나는 침대에 있다.'라는 말을 하고 싶었다면 그것은 'I am in the bed.'가 되어야 하는데, 사실은 이것도 영어답지 못하다. 정말 영어다운 표현을 만들려면 'I am sitting in the bed.'라고 하는 쪽이 명확하고 구체적이다.

'We are at school.'이라는 문장도 마찬가지의 실수를 하고 있다. 저자는 '우리는 학교에 와 있다.'라고 뜻을 적어 놓았는데 그런 의미라면 'We are in the school.'이 맞는다. 영어에서 'at school'이라고 하면 수업중이라거나 재학중이라는 뜻이 된다.

'It was very fun.' 이 문장은 문법적으로는 문제가 없다. 'fun' 이라는 단어는 형용사형으로도 쓰이므로 'very fun'도 안될 것은 없다. 그러나 영어를 모국어로 쓰는 사람들은 'fun'을 강조할 때 'very fun'이라고는 하지 않는다.

그 경우에는 문형을 바꿔서 'We had lots of fun.'이라고 하는 쪽이 훨씬 자연스럽다.

접속사 사용은 쉽지 않다

"I can tell about my family's birthday." 이 문장도 나를 매우 어리둥절하게 만든 것 중의 하나였다. 굳이 문법을 따지자면 'family'는 집합명사로서 복수의 의미인데 birthday가 단수로 쓰여 있으니 문법적으로 맞지 않는 문장이다. 물론 회화에서야 그럭저럭 통한다고 우길 수도 있는 노릇이다.

문제는 이 말을 들은 미국인이 과연 어떤 뜻으로 받아 들이겠는가 하는 점이다. 이 책의 번역에 의하면 이 문장의 뜻은 "나는 나의 가족들의 생일을 알고 있어."라고 되어 있다. 말하자면 가족들 한 사람 한 사람의 생일 날짜를 알고 있다는 의미이다.

그러나 미국인이 이 말을 들으면 날짜로 받아들이기보다는 아마 '가족들의 생일날 일어났던 일들에 대해서 이야기하려나 보다.' 라고 기대할 것이다.

이번에는 접속사를 사용하는 용법에서 발견한 이상한 부분들을 몇가지 살펴보자.

"I don't like winter.(나는 겨울을 좋아하지 않는다.)

Because it is too cold."(너무 춥기 때문이다.)

그럴 듯해 보이기는 하지만 여기에도 잘못된 부분이 있다. 'because'로 시작하는 절이 독립된 문장이 될 수는 없다. 제대로 쓰면 "I don't like winter because it is too cold."가 돼야 한다.

"Though I was worried about my marks, after school I played with my friend."라는 문장도 한국인이 읽고 이해하기에는 큰 무리가 없는 듯 보인다. 성적이 걱정이 됐지만 학교 끝나고 친구랑 놀았다는 뜻으로 해석할 수 있기 때문이다. 문법적으로도 잘못은 없어 보인다.

그러나 영어에서 'though'라는 말을 쓸 때는 그 뒤에 오는 문장은 앞의 문장과 대조적인 의미를 지니고 있는 경우이다. 즉 '성적이 걱정이 되었는데도, ~ 하지 않았다.'는 식의 표현이 와야 적절한 것이다. 그러나 이 경우에는 'though'를 그런 의미로 썼다고 보기는 어렵다. 차라리 뒷 문장을 "I didn't feel like studying after school."(나는 학교가 끝난 후에도 공부하고 싶지 않았다.)이라고 썼다면 이해하기가 쉬웠을 것이다.

다음은 두 소년을 묘사한 두 개의 문장이다.

"They are tall.(그들은 키가 크다.)

But A is thinner than B."(그러나 A가 B보다 말랐다.)

'thin'이라는 단어는 사람을 묘사할 때는 좀처럼 쓰지 않는다. 의상실에서 옷을 맞출 때라든지, 병에 걸렸던 사람을 만났을 때 '이전보다 야위어 안되었다.'는 뜻으로 쓰이는 것이 보통이다. 여기에서 사람들에게 어울리는 적절한 단어는 'slim'이다.

"Wake up and wash your hands, face and teeth."(일어나서 세수하고 이 닦아라.)

이 문장 역시 일견 큰 무리가 없는 듯하지만 미국인들은 웃을 것이다. 그들 감각으로 보면 이는 어디까지나 brush하는 것이지 wash하는 것이 아니기 때문이다.

어느 유학생의 체험

나와 아주 친하게 지냈던 어느 한국 유학생의 이야기를 쓴다. 그는 유학 초기에 영어 때문에 고생을 죽어라고 한 덕에 나중에는 제법 훌륭한 성과를 안고 한국으로 돌아갈 수 있었다.

나는 아주 우연히 그와 만나게 되었는데 그때 그는 내게 후배 유학생들에게 꼭 하고 싶은 충고가 있다면서 이런 이야기를 털어 놓았다.

그는 제법 좋은 대학을 졸업했고 영어를 잘 하기로 유명한 학생이었다고 한다. 그는 서울을 떠날 때만 해도 '미국에 가서 영어로 말하는 데만 좀 익숙해지고 나면 쉽게 적응할 수 있겠지.'라고 생각해 별 걱정 없이 미국땅을 밟았다고 한다. 중고등학교 시절에 영어 문법 공부를 그렇게 지겹도록 해두었으니 미국에 가도 읽기나 쓰기 등에는 별 문제가 없을 것이라고 믿었다는 것이다.

영어의 벽은 듣기에서부터 찾아왔다. 미국에 도착한 날, 그는 어느 조그마한 패스트 푸드 식당에 들어가서 음식을 주문했다.

주문 받은 점원이 그에게 "For here or To go?"(여기서 드실 겁니까, 가지고 가실 겁니까?)라고 물었는데 그는 도무지 알아들을 수가 없었다.

그는 '이것 큰일 났구나. 저렇게 쉬운 말도 알아듣지 못하니 앞으로 어떻게 하나.' 하는 생각에 한 동안 몹시 당황한 상태에서 지냈다. 그러나 초기에 충격을 받았던 것과는 달리 듣기 문제는 의외로 짧은 시간 안에 해결됐고 말하는 데서도 곧 자신감을 얻게 되었다.

그는 자신이 말하는 영어가 문법적으로 그다지 완벽한 것은 못된다는 것은 알고 있었지만 웬만한 이야기는 대화하고 이해하는데 큰 어려움이 없다고 느꼈다. 실제로 그가 말하는 영어를 글로 써보면 문장구조가 엉망이기는 했지만 그런 대로 미국인과의 의사소통에는 지장이 없었다.

아마도 그가 미국에서 장사를 했거나 다른 일을 했더라면 즉, 한정된 수준의 영어 실력만 가지고도 살 수 있는 일을 했더라면 거기서 만족해 버렸을지도 모른다. 그러나 학문을 하는 사람으로서 글을 쓰고 읽는 일은 피할 수 없는 관문이었다.

시간이 흐르면서 미국 친구들과 이야기하고 식당이나 수퍼마켓에 가는 데는 별 불편 없이 살아가던 그에게 가장 고통스러운 것은 읽기와 쓰기였다. 특히 더 어려운 것은 작문이었다. 그는 리포트를 작성하거나 무언가 써야 할 일이 생기면 나를 찾아와서 도움을 청하곤 했다.

사실 아무리 너그럽게 봐주려고 해도 그의 작문 실력은 엉망이어서 내가 도와준다기보다는 완전히 다시 써 주어야 하는 경우가 대부분이었다. 그는 내게 이렇게 털어 놓았다.

"미국에 공부하러 오는 많은 한국 학생들 중에는 회화만 빼고 다른 영어 실력은 괜찮은 편이니 문제 없을 것이라는 안일한 생각을 하고 오는 경우가 많습니다. 그러나 작문은 정말 어려워요. 대학과 대학원은 영어로 쓰는 실력이 상당 수준에 이르지 않으면 정말 공부하기가 어려운 형편인데 그걸 모르고 무작정 오다니…. 저같은 사람이 또 있을 테니 그게 걱정입니다."

그는 대학을 마치고 대학원에 갈 때 지원서를 작성하는 과정에서도 꽤 애를 먹었다. 말하는 것뿐 아니라 영어로 글을 쓰는 것도 어릴 때부터 훈련이 되어 있지 않으면 갑자기 실력을 향상시키기가 어려운 것이다.

영어 공부는 많이 하는데 왜 늘지 않을까

한국만큼 영어공부를 열심히 시키는 나라도 드물 것이라고 나는 생각한다. 중학교 고등학교 대학교까지 10년 넘게 영어를 배운다. 그것뿐이 아니다. 과외로 영어지도를 더 받기도 하고 회화학원에 다니는 사람들도 많다.

텔레비전과 라디오 방송에도 영어학습 프로그램이 한두 개가 아니고, 라디오나 신문에 조금씩 등장하는 외국어 토막공부 코너까지 합한다면 한국사회가 영어공부에 쏟아붓는 정열과 돈은 엄청나기 짝이 없다.

한국이란 나라 전체가 영어 신드롬이 걸려 있다고 해도 과언이 아니다.

그러나 안타깝게도 그렇게 열심히 영어를 배우고 공부한 결과는 만족할만한가 말 한마디라도 제대로 할 수 있는가. 그 이유에 대해서 많은 사람들이 문법 위주의 영어교육을 한 결과 나타난 부작용이라고 지적한다. 회화를 가르치지 않아서 그렇게 되었다고 한탄하는 사람들도 있다. 그래서 나온 전문가들의 해결방안이라는 것이 '문법과 독해 중심의 영어교육을 지양하고, 회화중심으로 영어를 가르친다.'는 것이다.

문법을 가르치지 않고 회화만 가르친다고 이 문제가 해결될까. 내 대답은 한 마디로 '노우(No)'다. 그렇게 하면 이제 또 새로운 문제가 나타날 수밖에 없다.

해결방안을 제시하기 전에 먼저 한국 영어가 안고 있는 문제점에 대해 정확한 진단부터 내려보자. 한국 영어교육 방식의 문제점을 요약하면 그것은 '영어를 하나의 언어로서 총체적으로 가르치지 않는 점'이라고 말할 수 있다.

흔히들 지금까지 한국에서 가르친 영어는 문법 중심이었다고들 한다. 내 생각은 다르다. 문법을 가르쳐 왔다고는 하지만 문법을 응용할 수 있는 학습 내용이 거의 없었다는 것이 문제의 핵심이다.

훌륭한 목수를 키우려면 연장을 제대로 다룰 수 있는 훈련을 시켜야 한다. 그런데 그 목수에게 연장의 이름만 열심히 외라고 가르친다고 가정해보자. 이것은 톱이고 저것은 망치다. 이것은 끌이고 저것은 못이다. 명칭을 많이 아는 목수가 훌륭한 목수인가.

물론 아니다. 그 연장을 어떻게 다루는지를 잘 알아서 적절하게 이용할 줄 알아야 제대로 된 물건을 만들어내는 목수 본연의 임무를 다할 수 있다.

나는 지금까지 한국의 영어교육이 바로 이와 같은 방식, 즉 목수가 될 사람들을 앞에 놓고 죽어라고 연장 이름만 외우게 한 꼴이었다고 생각한다.

영어문법을 가르친다면서, 부정사는 이런 것이고 동명사는 저런 것이다, 이것은 명사절이고 저것은 부사절이다 라는 것만 가르친 셈이다. 이런 것만 열심히 외우고 분석해내가지고는 절대로 살아 있는 영어를 가르쳐 줄 수 없다. 언제 어떻게 그 문법 사항을 쓰고 응용할 수 있는지 그것을 가르쳐 주어야 한다.

결국 한국에서는 진정한 의미의 독해교육이나 문법교육조차도 제대로 이뤄진 적이 없다는 것이 내 생각이다. 한국의 영어수업 시간에는 단지 문법에 관한 이야기와 독해가 아닌 '번역' 위주의 교육만을 하고 있을 뿐이다.

지금까지 독해라고 하여 가르친 것은 진정한 의미의 독해가 아니라 그저 번역일 따름이었다. 한국어를 영어로 바꾸고 영어를 한국어로 바꾸는 기계적이고 기술적인 치환 작업만 이뤄져 왔던 것이다.

정말 독해라고 하는 것은 '읽고 이해한다'는 말 그대로의 학습 과정이 필요하다. 독해에는 세 단계가 있다.

첫째 어떤 문장을 읽고 있는 그대로 글을 이해하는 가장 초보적이고 기술적인 단계가 있다.

두번째 단계는 그 문장이 내포하고 있는 진정한 의미를 찾아내는 단계이다.

세번째 단계는 학습자가 갖고 있는 지식의 기반이나 경험을 바탕으로 그 문장이 가지고 있는 의미 이상의 것을 이해하는 단계이다.

한국에서는 지금까지 제1단계의 독해만이 이루어진 것이다. 단어 각각을 한국어의 의미와 대체시켜 받아들이는 기계적인 번역만 해온 셈이다.

독해라는 것은 궁극적으로 수준 높은 사고력을 배양시켜 줄 수 있을 때 그 의미가 있다. 그것은 비단 영어에 국한된 이야기가 아니라 한국어를 배울 때도 마찬가지이고 어느 외국어를 배운다고 해도 동일하게 적용되는 방식이다.

문장을 구성하는 단어 하나하나의 뜻을 아는 데 그치는 것이 아니라 자신의 체험과 지식을 바탕으로 그 이상의 것을 이해하는 고등 사고력이 동시에 길러져야 한다는 것이다. 이 부분이 빠져 있다는 점이 바로 한국 영어교육의 근본적인 취약점이다.

소위 전문가라고 하는 사람들도 문법을 경시하고 말하기 위주로 가르치면 한국 영어교육의 문제가 단번에 풀릴 것처럼 지나치게 단순한 결론을 유도하는 경우를 자주 본다. 그러나 이것은 잘못된 생각이다.

문법은 필요하다. 문법이 한국의 영어교육을 망친 것이 아니라 문법을 가르치는 그릇된 방법에 문제가 있다는 것이 나의 생각이다.

회화중심 교육의 신화를 깨자

한국식 영어교육의 한계를 단번에 극복할 수 있는 만병통치약처럼 생각되는 것이 소위 회화라는 것이다. “문법은 조금만 가르치고 회화를 많이 가르치자.” 많은 사람들이 이런 결론을 내리고 있다.

그러면 회화만 가르친다고 해서 영어교육이 단번에 달라질까. 물론 아니다. 회화만 할 수 있도록 가르치면 영어교육은 다 될 것처럼 생각하는 것은 또 하나의 우를 범하는 것이다.

언어라는 것은 애당초 총체적인 것이다. 문법 따로, 읽기 따로, 말하기 따로, 쓰기 따로 기능하는 것이 아니다. 이 네 가지 기둥이 제대로 서야 균형 있는 언어, 언어다운 언어 구사능력을 갖출 수 있다.

내가 중고등학교에 다니던 시절에도, 또 내가 한국에서 고등학교 입시 영어교사로 일하던 시절에도 말하기 읽기 쓰기 듣기를 고루 가르쳐야 한다는 식의 얘기는 자주 나왔었다. 문제는 언어의 네 가지 측면을 따로 떼어 생각하는 데 있는 것이다.

가령 일주일에 영어수업이 네 시간이라고 하면 우리는 한 시간은 문법을 가르치고 또 한 시간은 회화를 가르치고 또 한 시간은 작문을 가르치는 식으로 수업을 운영해 왔다. 그런데 바로 이런 식으로 언어를 분리하여 생각하다 보면 어쩔 수 없이 절름발이 영어의 길로 들어서게 된다.

내가 생각하는 이상적인 방식은 언어의 네 가지 측면을 통합하여 가르치라는 것이다. 하나의 텍스트를 읽고 이해하는 과정에서 새로운 단어를 익히고 그 텍스트에 나타난 문법을 배운다. 그리고 그 문법을 응용하여 말하는 연습을 해보고 또 자신이 말하면서 생각하고 느낀 것을 글로 써 보기도 하는 것이다.

원래 하나인 것을, 분리할 수 없는 것을 억지로 떼내어 공부하려고 하면 오히려 역효과만 난다. 언어의 본질을 잘 이해하여 가르치고 배워야 가장 자연스러운 형태로 언어를 익히고 효과적으로 언어를 익힐 수 있다.

문장의 전형적인 틀이 몸에 배어야

한국의 영어교육에는 어떤 문제가 있으며 그 해결 방안은 무엇인가. '큐 시스템(The Cue Systems)'에 대한 설명으로 그 방향을 제시할 수 있을 것이다. 큐 시스템을 이해하게 되면 도대체 무엇이 문제인가를 진단할 수 있는 기준을 잡을 수 있고, 아울러 해결 방안도 이에 근거하여 생각해볼 수 있기 때문이다.

The Graphophonic Cue System

The Syntactic Cue System

The Semantic Cue System

The Pragmatic Cue System

앞서 말했듯이, 문법은 중요하다. 어떤 언어를 배우든, 문법을 배우지 않는 언어교육은 성립할 수 없다. 따라서 한국에서의 영어교육 문제는 문법을 가르치지 않음으로써 개선되는 것이 아니라, 문법을 제대로 가르쳐야 해결되는 것이다.

또한 이 문법은, 다음에 설명할 큐 시스템(The Cue Systems)으로 보완 설명할 수 있다.

첫째 그라포포닉 큐 시스템이다. 거의 모든 언어는 문자

(Graphon)와 소리(Phonic)를 갖고 있다.

이 문자와 소리와의 관계를 완전하고 분명하게 이해하는 것은 언어를 익히는 과정에서 가장 기본적인 단계에 속한다. 예를 들어, 자음 다음에 a가 이어지면 장모음이 된다는 사실을 이해해야 한다. 'lady', 'paint' 등이 그 예가 될 수 있다.

중요한 것은 이 원칙을 완전히 이해하여 몸에 배게 하는 것이다. 원칙만 가르치는 것 가지고는 충분치 않다. 완전히 자기 것이 되어 무의식적으로 받아들일 수 있을 때까지 훈련을 해야 한다.

반복되는 이야기지만 언어란 반(半)의식의 산물이므로, 의식하지 않고도 그 원칙을 활용할 수 있는 수준이 되어야 한다. 우리가 뭔가 중요한 연설을 해야 하거나 아주 특별한 경우를 제외하고는, 단어를 하나씩 선별하여 말하는 경우는 없다.

말은 거의 자동적으로 그냥 나온다. 국민학교 영어교육은, 바로 이것이 가능하도록 훈련시키는 단계를 포함하고 있어야 한다.

두번째는 신택틱 큐 시스템(The Syntactic Cue System)이다. 이 시스템은 한 언어가 작동하는 가장 기본적이고도 자연스러운 원칙을 말한다. 언어라는 것은 바로 이 원칙에 따라 움직이고 배열된다.

이러한 구조는 그 언어를 모국어로 말하는 사람이라면 누구나 체득하고 있는, 언어의 아주 자연스러운 한 부분을 지칭한다.

이 시스템은 독특한 문장 구조일 수도 있고 단어 배열 원칙일 수도 있다. 예를 들어, 한국어나 영어에서는 수식어가 피수식어 앞에 온다. '예쁜 꽃' 또는 'beautiful flowers'가 바로 이런 경우다. 그러나 불어나 스페인어라면 그 순서가 다르다. 이 시스템은 바로 이런 것을 말한다.

이 고정적이고 전형적인 틀이 몸에 배도록 집중적인 훈련을 받는 것은 외국어 교육 과정에서 가장 중요한 부분이다. 그 외국어가 가진 구조를 완전히 친숙하게 익혀야 비로소 그 언어를 할 줄 안다고 할 수 있기 때문이다.

이와 같이, 반의식적으로 또는 반무의식적으로 이 언어가 가진 틀에 따라 언어를 생산할 수 있어야 그때부터 그 언어를 편하게 사용할 수 있다.

그렇게 되기 전까지는 '외국어를 사용한다.'고 하는 이질감, 틀릴지도 모른다는 불안감 등으로 인해 외국어를 말하는 데 상당한 고통이 따르게 마련이다.

세번째 시스템은 시맨틱 큐 시스템(The Semantic Cue System)이다. 한 문장과 문장 또는 낱말과 낱말이 풍기는 정확한 의미를 이해하는 것이다.

이 시스템은 말하는 사람이 이전에 경험한 일, 그가 생각하고 있는 것, 그리고 그가 처한 상황을 통해 생겨나는 것이다. 그렇다고 해서 이 시스템이 단지 얼마나 많은 어휘를 알고 있느냐와만 관계가 있는 것은 아니다. 상황과 지적 능력의 발달 단계에 따라 달리 이용되고 다르게 이해될 수 있기 때문이다.

같은 낱말도 어느 문장 속에 놓여 있느냐, 또 어떤 전후 맥락 안에 있느냐에 따라 그 뜻이 완전히 달라진다. 미국인들이 자주 쓰는 말 중에 "I got you."라는 표현이 있다. 10) 전후 맥락을 이해하지 못하면, 사전을 가지고도 이 말이 무슨 뜻인지 알 수 없다.

그러나 이런 식의 특수한 의미들까지도 완전히 몸에 배게 되면 이는 진정한 의미에서 '영어를 할 수 있다'는 단계에 들어선 것이다.

나는 두번째의 신택틱 큐 시스템(The Syntactic Cue System)과 세번째의 시맨틱 큐 시스템(The Semantic Cue System)을 갖추는 것이 우리 영어교육의 핵심이라고 생각한다. 그 외의 요소들은 이 두 가지에 비하면 부차적인 것에 불과하다.

---

10) I have got you = I've got you, = I got you ("have got"에서 파생함)
* "got"속에는 문맥과 상황에 따라 다음과 같은 많은 의미들이 있음.
한국어 번역은 불가능함.

* get = understand (이해한다는 의미)
Example : I have understood you. I've understood you. I understood you.
(당신이 한 말의 뜻을 이젠 알 수가 있군요. 조심할 것은 자기의 높은 상사이거나 사회적 지위가 매우 높은 분한테는 이런 표현은 삼가는 것이 보통.)

* get = move. touch (to have an emotional effect on...)
(감정적으로 정서적으로 자극을 받을 때)
Example : The sight of her tears got you,
(그녀의 눈물이 너를 움직였구나)
The music got you.
(그 음악에 당신이 감동을 받았군요)

* get = overcome (to obtain the mastery of…) ('정복'의 뜻으로)
Example : Such practices will surely get you in the end.
(그와 같은 연습을 하면 결국 분명히 성공할 것입니다.)
Such practices surely got you in the end.
(그와 같은 연습이 결국 당신으로 하여금 성공토록 했군.)

* get = puzzle ('당황케 한다'의 뜻)

영어로 가는 길이 멀다고 생각되는 사람일수록, 영어를 숙달하고 싶은 사람일수록, 하루 빨리 이 분야로 눈을 돌려 집중적인 훈련을 받아야 한다.

미국의 전 국무장관 키신저의 이름을 모르는 사람은 없을 것이다. 독일계 미국인인 그에게는 미국인이 들으면 불편하기 짝이 없는 이상한 액센트가 남아 있다.

그러나 그는 이 두번째와 세번째 시스템을 완전히 이해하고 있기 때문에 비록 이상한 액센트를 구사해도 그것이 미국인들의 입장에서 하등 문제가 되지 않는다.

한국에서 영어교육 문제를 논의하면서, 미국의 사투리를 배우면 안된다느니 하면서 특정지역 출신들의 미국인 영어교사만을 초빙하겠다는 이야기가 나온 적이 있다고 한다.

나는 그 말을 듣고 어이가 없는 정도가 아니라 아예 충격을 받았다. 지금 한국에서 미국 사투리에 신경을 쓸 때인가. 너무나 사

Example : This problem really gets(got) me.
(이 문제는 정말 당황케 해주는 군.)-복잡하여 풀 수가 없는 상황.

* get = annoy (to cause annoyance to…) irritate
(괴롭히거나 노하도록 하는 의미)
Example : His conceit gets(got) me.
(그자의 자만에는 참을 수가 없다.) (기분이 상함)

* get = to bring to retribution, to take vengeance on… = kill
(보복의 의미)
Example : John went there to get his rival.
(John은 자기의 적수를 해치우기 위해 그곳에 갔다.)

치스러운 고민이 아닐 수 없다. 미국인들이 현재, 실제 상황에서 쓰고 있는 영어라면 무엇이든 받아들이고 이해하려고 노력해야 한다.

네번째 시스템은 프래그머틱 큐 시스템(The Pragmatic Cue System)이다. 언어를 사용할 때 문화적·사회적·인종적으로 어떤 그룹에 속하느냐, 그리고 지리적으로 어떤 지역에 사느냐에 따라 언어는 다르게 사용된다는 것이다.

예를 들면, 당신 앞에 다가온 사람이 미국의 클린턴 대통령이라면 자신도 모르는 사이에 그에 걸맞는 태도와 어휘를 쓰게 될 것이다.

당신이 거리를 걷다가 상점에 들어가 물건을 사며 상점주인과 얘기할 때는 클린턴 대통령을 대할 때와는 전혀 다른 태도와 방식으로 이야기할 것이다.

그러나 외국인 초보자라면, 그런 문제까지 고민할 필요는 없다. 두번째와 세번째 시스템만 완전히 이해하고 몸에 밴 상태라면 모르지만, 그렇지 않다면 첫번째와 네번째 시스템까지 익히려고 할 필요는 없다. 시급한 문제부터 먼저 해결해야 한다.

영어, 이렇게 가르치고
이렇게 공부하라

네살짜리 손녀 이야기

유치원 입학을 앞두고 마음이 들떠 있는 네 살짜리 손녀딸이 내게 전화를 걸었다.

"Granpa, can you guess who might be my teacher?"

(할아버지, 누가 우리 선생님이 될까요?)

미국에서 태어나고 자란 이 네살짜리 아이가 구사하는 영어를 들을 때마다 나는 늘 경탄을 금치 못한다. 단어를 고르는 안목이나 그 문법적 구조가 너무도 완벽해서 어떨 땐 그 말을 듣는 게 짜릿하다 못해 아찔하기까지 한다. 그래서 나는 내 손녀가 말하는 것을 들을 때마다 '아, 영어를 모국어로 말하는 사람들의 감각이란 이런 거구나.' 라는 것을 새삼 진하게 느끼기도 한다.

영어교육 문제를 오랫동안 연구해온 전문가의 입장에서, 영어를 모국어로 말하는 사람들과 제2외국어로 배우는 사람들의 차이를 비교해보는 것은 흥미로운 일이다. 이들 간의 가장 중요한 차이는 영어라는 언어가 갖는 특수한 구조와 의미에 얼마만큼 익숙해 있느냐 하는 것이다.

나는 ESL(제2외국어로서의 영어)을 따로 전공한 바가 있고, 실제로 ESL을 가르친 바도 있어 이에 대한 사정을 잘 알고 있다. 나자신 영어를 제2외국어로 배운 사람이므로 영어 표현에 있어 원음인과 크게 차이가 날 수 있다는 것을 너무도 잘 알고 있다. 그렇지만 원음인과의 간격을 좁히는 것은 결코 불가능한 것이 아니라는 것을 나의 경우가 증명하고 있지 않는가? 다시 손녀의 이야기.

놀랍게도, 지금까지 내가 만나본 한국사람 중에(미국 등지에서 태어났거나 어렸을 때부터 영어사용권에서 살았던 경험이 있는 사람을 제외하고) 'might'의 의미와 용법을 제대로 구사하는 사람은 한 명도 없었다.

아마도 영어를 꽤 한다는 사람들도 이 경우에는 "Can you guess who will be my teacher?"라는 식으로 'will'을 쓰는 경우가 많을 것이다. 물론 아쉬운 대로 뜻은 통하겠지만 영어를 모국어로 쓰는 사람이 들을 때는 듣는 어감이 크게 다르다. 'will'에는 훨씬 더 많은 화자(話者)의 의지가 담겨 있다. 자신도 잘 모르고 또 그 결과에 대해서 영향을 미칠 수 없는 입장이라면 그때는 손녀가 앙증맞게 사용한 'might'가 정확한 표현이다.

물론 내가 여기서 하고 싶은 이야기는 might와 will의 용법에 관한 것이 아니다. 나는 한국에서 한창 말썽이 되고 있는 문법에 대한 이야기를 하려는 것이다.

앞에서도 얘기했지만 많은 사람들이 영어공부 10년을 해도 말 한마디 제대로 못한다며, '한국의 영어교육을 망친 것은 학교에서 문법만 가르치고 회화를 가르치지 않은 교육방식 때문'이라고 주장하고 있다. 놀라운 일이다.

더욱 안타까운 것은 그 문제를 해결하기 위해 '앞으로는 문법교육을 지양하고 회화중심의 영어를 가르치겠다.'는 얼토당토 않은 해결방안을 내놓고 있는 점이다.

그래서 내가 이렇게 멀리서 그게 아니라고, 다시 생각해 보라고 나의 조국 한국을 향해서 외치고 있는 것이다. "첫째, 문법을 무시한 언어교육은 상상도 할 수 없는 일이다. 둘째, 한국에서는 지금까지 제대로 된 문법교육을 한 적이 없다." 이 두 가지가 내가 가장 힘주어 말하고 싶은 사실이다. 왜 그런가 하는 점은 차차 설명하기로 하자. 11)

다시 나의 손녀딸 이야기로 돌아가서, 영어를 모국어로 사용하는 네살짜리 어린이가 물 흐르듯 자연스럽게 정확한 언어를 구사

---

11) About Grammar:
(문법에 관하여) : 미국의 저명한 문장가요 작가인 Provost는 문법에 관해 다음과 같은 명언을 남겼다.

Make the rules of grammar your servant, not your master.
(문법의 규칙들을 "머슴"으로 만들어야지, "주인"으로 만들지 말지어다)
When you think about grammar, think about being a communicator, not a crusader.
(문법을 생각할 때는 그것이 의사소통의 "전달자"로 생각해야지, 십자군 전사로 생각하지 말지어다)
Grammar is a living thing; it grows to meet new needs.
(문법은 생물체이며, 새로운 필요물들을 충족시키기 위해 자라나는 것이다.)

하듯이, 외국어도 배우기에 따라서는 모국어 수준에 도달할 수 있다는 것이 내가 이 글을 쓰면서 꼭 해두고 싶은 말이다.

아이들에게 이런 환경을 만들어 주자

이제 문제는 한국에서 어떻게 영어를 가르치고 배울 것인가 하는 것이다. 미국에 이민을 간 경우라면 집에서는 한국어를 쓰고, 나가면 영어를 쓰는 환경이 자연스럽게 마련되어 있으니 일단 인공적인 환경을 조성해야 하는 부담은 없는 셈이다.

그러나 한국에서라면 문제는 다르다. 두 개의 언어 환경을 만들어 주어야 하기 때문이다. 반복해서 강조하지만 그것은 결코 쉬운 일이 아니다. 그러나 불가능한 일도 아니다. 부모와 교사 그리고 아이들의 공동 노력이 필요하다. 12)

---

12) Social Parties:

* Language meaning is negotiated in a society. Language meaning is not created in the mind of the child first and then conveyed to others; but through interaction with other language users in the environment, meaning arises and is established in the mind of the child.

* Language acquisition grows out of an active need to use language to function in society. Children learn language to survive, express themselves, and get their needs met. This theory stresses the social nature of language and learnig and the important role that adults/teachers play in both.

영어다운 영어를 구사할 수 있는 능력을 갖추는 데 필수적인 제1요건은 두말 할 것도 없이 훌륭한 교사다. 그 중에서도 가장 중요한 자격 요건이 있다면 그것은 영어를 모국어로 쓰는 사람에 버금가는 발음을 갖춰야 한다는 것이다. 모국어 수준은 아닐지라도 거의 그 수준에 도달한 사람이어야 한다.

학생이 어릴수록 이 문제는 더 중요하다. 발음이 부정확한 교사가 기초교육을 잘못하면 그것이 훗날 교정하기 어려운 문제를 일으킬 우려가 있기 때문이다. 그래서 우리나라 속담에도 "나는 '바담풍' 하지만 너는 '바람풍' 하라"는 말이 있질 않는가. 따라서 앞으로 국민학교 영어교사들을 선발할 때는 이 점을 진지하게 고려해야 할 것이다.

일단 교사가 확보되면 그 다음에는 영어공부에 필요한 환경을

Social Parties=Social Interactions(사회적 상호작용이라고 함이 타당): 어린이들이 '언어'를 습득하는 과정에서 '언어의 의미'를 자기의 마음 속에서 먼저 창조하여 상대방한테 전하는 것이 아니고 환경 속의 다른 '언어사용자들'과의 상호작용(interactions)을 통해서 의미가 창출되어 인간의 마음 속에 바로 그 의미가 자리잡는다는 언어이론에 기초를 두고 있다. 언어의 사회성을 먼저 강조한 후 학문적인 면의 '언어숙달'을 돕는다는 목적으로 가능하면 자주 사회적 관계의 기회를 마련하여 적어도 영어사용능력이 좋은 한 지도적 역할이 담당자의 leadership으로 해보는 것을 적극 권장함. 한국에서도 미국 대사관이나 미국문화원 또는 외국인들을 위한 여러 학교들, 외국인들의 마을을 찾아가는 것도 생각해 볼 만 하다.

(a) 영어전용 구역 (교실, 특정 사교장, 학습목적으로 식당을 차림)

(b) 서울 시내의 거리에 범람하는 많은 외국인들을 초대하여 비공식적인 사교모임을 열 수가 있음.

(c) 서울 Foreign School에 요청하면 기꺼이 협조하리라고 봄

조성해주어야 한다. 교실이나 아이들 방 안에는 영어 단어 혹은 문장이 쓰인 그림이나 사진 등을 충분히 걸어서 사방이 영어로 둘러싸인 영어의 바다를 만들어주어야 한다.

어딜 돌아보아도 영어가 쓰인 곳이라면 아이들은 느끼지 못하는 사이에 많은 양의 영어 지식을 고통 없이 흡수하게 된다. 이런 환경을 만들어 줄 때는 가급적 아이들이 좋아하는 주제와 연관을 시켜 흥미를 유발할 수 있는 것이면 효과는 더 좋아진다.

이러한 환경 속에서 아이들로 하여금 가능한 한 직접적인 체험을 통해 영어를 익힐 수 있게 해주는 것이 좋다. "Open the door."라는 문장을 가르칠 경우 말로만 가르치는 것은 효과가 별로 없다. 직접 문을 열면서 그 말을 해보아야만 아이들의 머릿속에 선명하게 남게 된다. 그러다 보면 아이들의 머릿속에서는 저절로 '닫는다는 것을 영어로 어떻게 말할까.' 라는 의문이 솟아오를 것이다.

사람이 말을 할 때는 그 말을 하는 목적이 있게 마련이다. 부탁을 하는 것이든 자신의 의견을 남이 알아주기를 바라는 것이든 아니면 단순히 친한 느낌을 주기 위해서든 여러 가지 이유가 있을 것이다. 그렇기 때문에 언어를 사회적 상호작용의 결과라고 하고 또 지적 성숙의 산물이라고 하는 것이다.

아이들이 교실에서 교사와 함께 배우고 익힌 것은 집에서도 자주 쓸 수 있게 해주어야 한다. 부모가 충분히 능력이 있는 경우라면 그날 배운 것을 함께 해볼 수 있을 것이고, 그렇지 않은 경우라면 비디오나 오디오를 이용해서 반복할 수 있을 것이다.

미국인이라고 다 영어교사가 될 수 있는 것이 아니다

뉴욕주립대학에서 정치학을 가르치는 동료 교수를 만나러 갔다가 우연히 그의 아들을 만나게 되었다. 대학을 갓 졸업한 그의 아들은 한국에 갔다 왔다면서 나를 반갑게 맞아 주었다.

그 젊은이는 내게 지난 3년 동안 한국에서 영어를 가르쳤노라고 자랑스럽게 이야기했다. 돈도 벌고 썩 재미있게 지냈다고 토로했다. 그리고 나서 이어지는 이야기가 앞으로 다시 한국에 가서 몇년 더 영어를 가르치겠다는 것이다. 친구의 아들 이야기를 들어보니 한국은 '미국인들의 꿈'의 나라라는 생각이 들었다.

말이 나왔으니 하는 말이지만 한국 실정을 아는 미국인들에겐 'Korean Dream'이 생겨나고 있다. 미국에서는 별 볼 일없는 미국인도 한국에 가면 영어 가르치면서 '한몫 잡을 수 있다'는 꿈이 그것이다. 뒤를 졸졸 따라다니는 '팬'들도 생기고, 대접도 받고, 돈도 벌고, 한국이 미국인들에 '패러다이스'라는 생각을 하는 사람들이 늘고 있다.

미국경제 사정이 어려워져 직장을 구하기 힘들어지자 많은 미국 젊은이들이 영어 하나를 밑천으로 삼아 한국이나 일본에 가서 회화 선생 노릇을 하고 있다는 이야기는 나도 익히 들은 바가 있었다.

두 나라 모두 영어 배우기 열풍이 분 지 오래인데다 영어를 모국어로 쓰는 사람을 구하기가 어려운 형편이니 그저 외국인이라면 환영을 받는 처지가 무리도 아니다 싶었다. 게다가 한국과 일본의 경제 사정이 좋아지면서 이들에게 주는 보수도 상당한 수준이라고 들었다.

나는 그에게 슬쩍 물어 보았다.

"자네 대학에서 뭘 전공했지?"

"심리학 공부를 했습니다."

"그렇다면 영어를 가르칠 수 있는 공부를 한 건 아닌데…."

그는 씩 웃으면서 이렇게 말했다.

"그래도 문학도 한두 과목 들어본 적이 있는걸요."

언어를 가르치는 일이라면 전문가인 나로서는 적지 않이 걱정이 되는 일이다. 그래도 또 물어보지 않을 수 없었다.

"그래 한국에서 무엇을 어떻게 가르쳤지?"

그는 여전히 태연한 얼굴로 이렇게 말하는 것이었다.

"뭘 가르치긴요. 발음도 교정해주고 물어보는 것이 있으면 대답해주고 그랬지요."

나는 한동안 어이가 없었다. 미국인이라고 해서 누구나 다 외국인에게 영어를 가르칠 수 있는 것은 아니다. 언어를 가르치기 위해서는 언어교육에 대한 최소한의 이해가 있어야 한다.

적어도 영어교육을 전공한 학사 이상의 학력은 갖춰야 한다. 기준을 조금 낮춘다 해도 거기에 버금가는 자격은 돼야 하지 않을까. 이미 서울에서는 많은 외국인들이 단지 영어가 모국어라는 이유 하나만으로 학원에서 영어강사 노릇을 하고 있다고 한다. 심지어 한국의 어느 대학에선 영어강사로 영어교육을 전공하지 않는 사람까지 쓰고 있다고 들었다. 여행을 갔다가 주저앉은 사람들이 많다고 한다.

그 많은 시간과 돈과 에너지를 들여 잡담이나 하자고 영어를 배우는 것은 아니지 않은가. 이제는 외국인이라고 해서 마구 교사로 받아들이는 시대는 지난 것 같다. 자격을 갖춘 교사가 있어야 제대로 교육을 받을 수 있다는 것은 두말 할 필요도 없는 일이다.

개인이 말동무삼아서 1대1로 만나는 관계라면 몰라도 학원이나 학교에서 자격없는 미국인에게 교사노릇을 시키는 것을 재고해보아야 한다. 학원 수강료는 또 무척 비싼 것으로 들었다. 개인 과외의 경우에 미국이나 영국에서는 1시간에 한국돈으로 1만원 정도에 지나지 않는다. 수강료가 턱없이 비싼 것도 흠이다. 영어열풍을 나무랄것은 없지만 무턱대고 미국인이라면 그저 '영어 선생'으로 떠받드는 것도 좀 우스운 일이다.

영어를 잘 가르치는 기본 원칙 여섯가지

외국어를 성공적으로 가르치는 몇 가지 기본적인 원칙이 있다. 일견 당연하게 느껴지는 이야기일지도 모르지만 한번 정리를 하고 넘어가야 할 것 같다.

자, 외국어를 잘 가르치려면 어떻게 해야 할까.

첫째 수업내용은 학생들이 쉽게 알아들을 수 있는 것이어야 한다.

둘째 수업내용이 학생들의 생활이나 관심과 관련이 있어야 하고 또 재미있어야 한다.

셋째 수업내용이 문법적으로 어떤 단계를 밟아가야 하는 것은 아니다. 우리가 흔히 볼 수 있는 문법책에서 늘 그렇게 하고 있듯이 문법의 항목을 하나하나 나누어서 차례대로 문법을 가르칠 필요는 없다. 13)

수업시간에 쓰는 이야기책에서 늘 튀어나오는 것에 따라 그때

---

13) step 1. a. 학생들의 적극적인 응답으로 그 text의 title(제목), topic, theme(주제), 등장인물들과 의미상 또는 concept상 밀접한 관련이 있는 많은 단어들의 list를 학생들과 교사가 서로 협력하여 공동작업으로 작성할 것.

b. Topic이나 주제에 관하여 생각나는 대로 자유로이 학생들이 글을 쓰도록 할 것. (아무리 짧고 간단해도 좋음) 이것을 가리켜 freewriting라고 하는데 한국에는 이러한 교습 개념이 아직 없는 듯함.

c. 제목, illustration(표지장식-사진,그림 등) 또는 맨처음의 문절(paragraph)을 토대로 하여 읽으려고 하는 교재에 관한 많은 prediction(추측)들을 학생들이 시도하도록 교사는 지도할 것.

Step 2.

Text를 드디어 읽기 시작한다. 읽는 방법의 종류에는 다음과 같은 것들이 있으니 그때 그때 교사가 결정한다.

Guided Reading (교사가 친절히 안내해가면서 하는 방법).

1. 교사의 지시에 따라 학생들이 조용히(소리내지 않고) 읽는다.

2. 이때 교사는 소 group별로 만나거나, 전체 group을 상대로 구체적인 지시를 한다. (어느 문절, 몇 page 등등)

Reading Aloud (교사가 큰 소리로 학생들이 듣도록 읽는다).

이때 학생들은 교사를 경청하거나, 미국에서는 교실 안에 Listening Center를 두어 필요에 따라 학생들이 몇몇씩 tape로 듣도록 한다.

그때 필요한 문법을 가르치면 된다. 그것은 모국어의 경우를 생각하면 쉽게 납득을 할 수 있을 것이다. 자기 나라 말을 배우면서 의식적으로 문법을 익히지는 않는다. 차례대로 배워나가는 것은 더욱 아니다. 외국어도 마찬가지다. 문법의 단계나 난이도에 따라야 한다는 고정관념을 버려야 한다.

넷째 한 언어를 여러 번 사용할 수 있도록 가르쳐야 한다. 언어교육에서는 양이 중요하다. 한두 번 말하게 하거나 듣게 하는 것으로 그쳐서는 안된다. 반복해서 듣는 것이 가장 좋다.

Shared Reading (교사와 학생들이 같이 같은 text를 읽어 간다.)

Independent Reading (학생각자가 따로따로. 교사 등 누구의 간섭도 받지 않고 읽는 것.)

Step 3.

Exploring the Text (Text를 탐험함).

여기서도 읽는 도중 또는 읽고난 직후 text를 탐험하는 과정(독해정복을 위한 많은 학습방법들이 있음).

Step 4.

Responding to the Text (text를 성공적으로 읽은 후 text에 대해 학생들이 하는 적극적이고 의미가 대단한 반응을 말하는데, respond to the text라는 의미상황(context)에서 쓰는 한국어 번역은 피함.

a. 읽은 story를 자기자신의 능력으로, 자기자신의 문체로 학생들이 다시 써보도록 적극 권장하라(이때 주제를 바꿔서는 안됨).

b. 읽은 story와 유사한 주제를 지닌 다른 text와 비교하여 글을 써보도록 하라.

c. 학생들과 합동하여 읽은 내용을 극화하라.

다섯째 편안한 분위기를 만들어 아이들이 겁내지 않고 이야기할 수 있도록 해야 한다. 언어라는 것은 정서와 밀접하게 관련되어 있기 때문에 불안한 상태에서는 효과를 기대할 수 없다. 외국어 습득의 효과는 마음의 상태에 아주 민감하게 반응한다는 사실을 잊지 말아야 한다.

여섯째 수업을 할 때 오고가는 대화 속에 실질적인 이유나 진짜 목표 같은 것이 있어야 한다. 그저 말을 위한 말이 되어서는 안되고 뭔가 실질적인 필요에 의해 움직이는 말이 되어야 한다.

한 마디로 학생들의 영어학습 지도는 학생들을 '영어의 바다'에 빠뜨려야 한다는 말로 요약된다. 학생들이 수업을 받는 교실은 '영어의 섬'(Language Island)으로 만들어야 한다. 이러한 방법과 장치는 돈이 드는 일도 아니고 교사의 열의만 있으면 가능한 환경을 조성할 수 있다.

---

d. 만약 전설적인 내용이라면 학생들로 하여금 그 전설에 관한 research를 하도록 하라.

e. storyboard를 만들도록 하라. 읽은 story 속에서 가장 인상깊은 또는 감동을 받은 장면들을 선택하여 큰 종이 위에 여러 칸을 만든 후에 간단한 그림을 그리고 그림이 풍겨주는 의미를 짧은 문장이나 낱말의 집단을 적어 넣는다. 매우 재미있는 학습방법이며 학생들의 철저한 독해를 입증하는 방법이다.

f. 읽은 text 속에 과학적인 요소가 많이 들어 있다면 그 분야에의 전문가들과 interview하도록 학생들을 격려할 것. interview에서 얻은 것들은 글로 써서 제출하여 교실에 전시하거나, 학급학생들한테 보고하는 형식으로 구두로 학급에서 발표하도록 하라. 한국의 국민학생들에게는 심히 어렵겠지만, 불가능한 것은 아니며, 중고등학생들은 유치한 수준일지라도 얼마든지 할 수가 있다. 가장 큰 역할은 지도하는 교사에게 있다.

어린이들에게 외국어를 가르칠 때 명심할 점

다섯 살에서 일곱살 사이의 아이들은 외국어를 배우기에 아주 좋은 조건을 갖추고 있다. 그러나 그 나이 아이들의 특성을 정확하게 파악해서 교육을 해야만 좋은 효과를 얻을 수 있는 것은 물론이다.

이런 아이들을 앞에 둔 교사들은 그 아이가 처해 있는 상황과 매우 밀접한 관련이 있는 말을 골라서 해야 한다. 아이들은 왜 교사가 그 말을 할 수 있는지 이해해야 한다. 그것도 아주 현실적인 상황, 그 학생 자신의 현재와 관련이 있어야 한다.

영어를 배우는 첫 걸음은 간단하고 쉬운 표현이어야 한다. 물론 그 말을 하는 데는 목적이 있어야 하고 그것은 학생들과 관련이 있어야 한다. 이를테면 'Give me.' 'What's that?'과 같은 표현들은 아이들이 또래의 학생들과 함께 놀 때 가장 자주 쓰는 말이다.

만일 한국 아이들이 외국에 가서 그곳 학생들과 섞여 지내게 된다면 가장 먼저 배울 표현들도 아마 이 범주 안에 들 것이다. 학생들로서는 가장 진지하고 가장 절실한 목적이 들어 있는 말이고 그래서 학생들은 이 표현들을 쉽게 배운다. 중요한 것은 언어란 늘 살아 있는 사람과의 상호작용에서 의미가 있는 것이므로 교사는 그것을 늘 염두에 두어야 한다는 것이다.

아이들이 새로운 표현을 익혔을 때 아이들은 언젠가 그 말을 다시 한번 써보고 싶어서 내심 그 기회를 기다리게 된다. 또 그런 기회가 자주 주어져야 아이들은 그 표현을 완전히 자기 것으로 습득하게 된다.

따라서 교사는 아이들이 새로 배운 표현들을 써볼 수 있는 기회를 만들어 주어야 한다. 즉 그런 환경을 끊임 없이 조성해 주어야 한다.

아이들은 어떤 언어의 용법을 배우면 그것은 될 수 있는 대로 자주 써서 자신이 그것을 할 수 있다는 쾌감을 느끼고 싶어 한다. 그런 쾌감을 느낀다는 것은 학습효과를 수반하는 것이므로 아이들의 욕구가 충분히 해소될 수 있는 환경을 만들어 주어야 한다.

아이들로 하여금 정확하고 멋진 표현을 쓰고 싶다는 생각에 집착하지 않도록 해주어야 한다. 말을 정확하게 하겠다, 좋은 표현을 써야겠다는 생각을 하기 시작하면 그쪽에 연연하게 되어 언어교육의 효과가 줄어들게 된다.

목표는 최소한의 언어로 상대가 이해할 수 있는 표현을 한다는 것이다. 그것은 성인도 마찬가지다.

이와 같은 과정은 사실 성인의 경우에도 그대로 부합된다. 그러나 어른들은 아이들에 비해 외국어를 하는 것을 부끄러워 하고 실수를 두려워 하는 정도가 높아 그 성과가 적은 것이 일반적인 현상이다. 따라서 성인의 경우에는 그 정도를 낮추는 노력을 개인적으로 많이 해야 한다. 다른 모든 일과 마찬가지로 두려움을 앞세우면 잘 될 일도 뜻대로 되어가지 않는다. 영어의 경우는 무수한 실수와 되풀이 속에서 '자기것'을 쌓아갈 수밖에 없다. 입을 다물고서야 어떻게 영어를 잘 할 수 있기를 기대할 수 있겠는가.

뜻을 먼저 알면 외국어는 더 쉽다

글을 읽고 이해하는 능력을 갖추는 과정에서는 개인 차가 크게 난다. 개인적인 체험의 양이 어느 정도냐에서부터 이미 알고 있는 지식의 크기까지 여러 가지 요소가 영향을 끼치기 때문이다.

외국어로 쓰여진 글을 읽고 나서 모국어로 완전히 다시 이야기하는 데 있어서는 개인의 지적 배경이 크게 작용한다. 그 글의 내용을 얼마나 이해하느냐 하는 것은 그 자신이 이미 알고 있는 것에 크게 영향을 받기 때문이다.

예를 들어 민주주의라는 단어를 가르친다고 하자. 민주주의의 의미가 무엇인지 이미 알고 있는 사람의 경우에는 그 개념에 'democracy'라는 단어만 대입하면 된다. 그렇다면 설명이 필요 없다는 이야기가 되니까 정말 쉬운 과정을 거치는 셈이다.

그러나 그 뜻을 전혀 모른다고 할 때는 문제가 좀 다르다. 이런 경우를 보면 외국어를 배우는 데 성인이 반드시 불리한 것만도 아니다. 수준이 높아지면 질수록 성인이라는 사실이 오히려 유리하게 작용하기도 한다.

어린이의 경우에도 체험이 많고 지식이 많은 아이쪽이 외국어로 쓰인 이야기를 이해하는 데도 유리하다. 외국어 학습이라고 해서 그것이 언어 그 자체에만 머무르는 것은 아니기 때문이다. 언어를 가르치는 교사들은 이 부분을 자주 간과하곤 한다. 말만 가르치려 하지 말고 아이들이 갖고 있는 개념의 수준을 진단하는 데도 주의를 기울여야 한다.

만일 런던에 관한 이야기가 쓰인 동화를 읽게 되었다고 하자.

런던이 무엇인지를 아는 아이들은 쉽게 이야기에 이끌린다. 이미 런던에 관한 이야기가 쓰인 책을 한권이라도 읽어본 아이들은 좀 더 쉽게 이해할 것이다. 만일 그곳에 가본 적이 있는 아이라면 아마 더 큰 관심을 갖고 그 내용을 받아들일 것이다.

자기 자신과의 현실적인 관련성, 이것이야말로 언어의 모든 측면을 강화시키는 중요한 요소이다.

다른 사람과 이야기를 해야 는다

외국어를 가장 효과적으로 배우고 가르칠 수 있는 상황은 그 언어가 직접 사용되는 상황이다. 다른 사람과 이야기를 나누는 것, 어떤 문제에 대해 의견을 교환하거나 친해지기 위해 대화를 하는 것 등은 외국어를 배울 수 있는 최적의 환경이다.

즉 외국어로 다른 사람과 의사소통을 해보는 것보다 더 좋은 방법은 없다는 뜻이다. 따라서 그렇게 할 수 있는 기회를 만드는 것이 가장 중요한 교육적 배려가 되기도 한다.

그렇다고 다른 사람과 이야기 하는 수준에서 머무른다면 그것 또한 바람직한 일이라고만은 할 수 없을 것이다. 학문적인 측면에서 또는 정보를 얻을 수 있는 수단으로 활용할 수 있는 수준에 이를 수 있도록 하는 노력 또한 필요하다.

그래서 책을 읽고 이해하는 능력이 중요해지는 것이다. 그저 다른 사람들과 이야기하는 것만으로 만족한다면 굳이 책을 읽고 글을 쓰는 데까지 노력을 기울일 필요는 없을 것이다.

그러나 누누이 강조했듯이 언어의 모든 측면은 한데 얽혀 균형 있게 발전해야 제 기능을 다할 수 있는 것이다. 너무 한쪽에만 치우치지 않도록 하는 것도 중요하다.

결론적으로 교사의 역할은 새로운 개념을 전달하고 의미를 파악할 수 있는 능력을 길러주며 그것을 더 풍부한 조건에서 발전시킬 수 있도록 해주는데 있다고 할 것이다.

모국어는 외국어를 배우는 데 방해가 되는가

외국어를 배우는 데 모국어의 존재는 방해가 될까. 중학생이 되어 모국어를 완전히 익힌 뒤에 외국어를 배우면 모국어가 이미 굳어져 있는 상태라 외국어를 배우는 것이 더 어려울까.

그렇지 않다. 모국어는 외국어를 익히는 데 장애가 되는 것이 아니라 오히려 기반이 되는 중요한 자산이다.

우리가 일반적으로 한국말 잘하는 사람이 영어도 잘 하더라는 말을 하는데 그것은 사실이다. 모국어에 숙달되어 있는 정도가 오히려 외국어를 익히는 데 도움을 주기 때문이다. 따라서 외국어를 배우기에는 나이를 너무 많이 먹었다고 슬퍼할 일은 아니다. 오히려 그 언어적인 자산을 이용하면 더 큰 발전을 이룰 수도 있기 때문이다.

이민 1세들이 이민 2세들에 비해 외국어를 잘 하지 못하는 것을 당연하게 생각하기도 하지만 사실은 그렇지 않다. 어른이 되어 외국어를 배우지 못하는 것은 모국어의 틀이 너무 단단히 잡혀 있어서가 아니라 노력을 하지 않기 때문이다.

일단 언어의 논리가 서 있는 성인의 경우에는 어린아이보다 외국어를 배우기에 유리한 점이 많다. 먼저 어린 아이의 경우에는 인지발달 상황의 한계 때문에 논리적인 말이나 추상적인 사고를 쉽게 표현하지 못해도 어른의 경우에는 가능하다. 따라서 아이들이 아무리 말을 빨리 배운다고 해도 어른들이 넓혀갈 수 있는 영역과 비교하면 분명히 차이가 있다. 그런데 왜 '나는 영어를 배울 나이가 지났다.'며 지레 전의를 잃고 풀이 죽어 지내는 사람들이 많을까. 흔히 성인들은 "이제 머리가 굳어서 공부하려고 해도 잘 안된다."고 체념하고 만다. 난 그렇지 않다고 말해주고 싶다. 영어를 배우려는 그 긴요함이 동인이 되어 얼마든지 잘할 수 있다는 점을 지적해 둔다.

파닉스의 신화를 깨자

앞에서 다하지 못한 파닉스 얘기를 다시 해보자. 미국 국민학교의 언어교육 자료로 이용되던 파닉스가 한국에도 도입되었다고 한다. 파닉스식의 학습방법은 미국에서 한때 크게 유행했던 학습방법으로서 1920년대에서 30년대부터 교육현장에서 가장 큰 흐름으로 주목받았던 언어교육 방법이었다.

파닉스란 기본적으로 소리를 중시하는 학습방법이다. 언어를 가르칠 때 발음이 더 중요하냐 아니면 의미가 더 중요하냐 하는 것은 미국에서 아직도 끝나지 않은 논쟁거리다.

정확한 소리를 듣고 발음을 익히다 보면 그 과정에서 단어의 의미도 자연스럽게 익히게 된다는 것이 파닉스의 입장이고, 소리나 발음보다는 의미를 습득하는 데 더 주안점을 두는 것이 독해 능력을 향상시키는 더 효과적인 방법이라는 것이 새로운 영어교육 방식을 주장하는 총체적 언어교육철학의 입장이다.

어쨌든 우리가 이 시점에서 관심을 기울여야 할 것은 지금 미국에서 파닉스에 의존하던 학습방식이 서서히 변하고 있다는 사실이다. 그러나 이미 교사와 아이들이 익숙할 대로 익숙해진 파닉스식 방법을 쉽게 버리지 못하고 거기에 안주하려는 경향이 있는 것도 사실이다. 이유는 한 가지, 그쪽이 편하기 때문이다.

미국의 교사들 중에는 아직도 파닉스 학습방법을 고수하는 사람들이 꽤 있다. 그 교육방식이 오랫동안 계속돼 오면서 공고하게 자리를 잡은 덕에 지도방식이 체계적으로 정립되어 있어서, 어떠한 교사라도 그 교본만 갖고 있으면 아이들을 쉽게 가르칠 수 있기 때문이다. 따라서 교사들로서는 그 편한 방식을 버리고 새로운 교수방법을 익힌다는 것이 부담스러울지도 모른다.

극단적으로 이야기하면 파닉스라는 것은 문자와 소리를 맞춰주는 작업에 불과하다. 미국 아이들의 경우라면 모국어를 배우는 것이므로 자라면서 소리는 충분히 익힌 상태이다. 따라서 그들이 충분히 알고 있는 영어의 소리를 문자와 맞춰 나가는 것이므로 그것은 그리 어려운 작업이 아니다.

그러나 외국어로서 영어를 배우는 경우에는 사정이 좀 다르다.

일단 한국아이들에게는 소리와 문자 둘 다 생소한 것이다. 미국 아이들의 경우처럼 하나를 이미 알고 다른 한쪽을 발전시켜나가는 경우와는 크게 차이가 있는 것이다.

pretend(~하는 체 하다)라는 단어는 외국어로서 영어를 배우는 과정에서는 초기에 쉽게 쓸 수 있는 단어는 아니다. 모국어의 경우라면 좀 다르기는 하지만 그래도 역시 학생들에게 어려운 단어이기는 마찬가지다.

나는 이웃 집에 놀러갔다가 우연히 2~3세 정도의 아이가 이 단어를 쉽게 사용하고 있는 것을 본 일이 있다. 그 아이는 나를 보자 방긋 웃으면서 이렇게 말했다.

"May I show you something?"

(제가 보여드리고 싶은 것이 있는데요.)

아이는 내 손을 이끌고 거실 한 구석으로 가더니, 구석에 기대서서 몸을 흔들며 뭔가 하는 시늉을 했다.

"I am taking a shower."

(샤워 하는 거예요.)

"You are not taking a shower."

(진짜 샤워하는 것은 아니잖아.)

"I am just pretending."

(흉내 내고 있는 거지요.)

나는 그 아이의 말을 듣고 세살 정도의 어휘로는 놀라운 실력이라고 생각했다. 물론 모국어이기 때문에 가능한 것이기는 하다.

그 아이의 머릿속에 어느 날 우연히 pretend라는 말이 들어왔을 것이고 아이는 그 단어를 한번 사용해보려고 기회를 노리고 있었을 것이다. 그리하여 아이는 마침내 나에게 그 단어를 시도해본 것이다. 물론 그 아이가 이런 식의 생각을 하지는 않았겠지만 결국은 자신도 모르는 사이에 그런 과정을 거친 것이다.

그러나 여기까지는 아직 '구어'로서의 어휘이다. 아이는 자신이 말할 수 있는 단어의 하나로서 pretend를 머릿속에 담고 있는 것이다. 시간이 흘러 아이가 활자를 익히게 되면 그때 그 단어는 아이가 읽을 수 있는 단어의 어휘 안에 들어가게 된다.

마지막 단계는 아이가 글을 쓸 때 활용할 수 있는 단어의 범위 안에 포함되는 과정이다.

아이들은 처음에는 그저 듣기만 한다. 그 단어들이 점차 아이가 말할 수 있는 단어로 전환되어 간다. 아이가 이해하는 어휘 중에는 들으면 이해하지만 아직 말할 때는 사용하지 못하는 것도 있다.

다음 단계는 그것을 읽고 이해하는 단계 그리고 마지막이 글을 쓸 때 활용할 수 있게 되는 것이다.

이 과정이 바로 파닉스가 의도하는 결과이다. 그리고 이 과정을 제대로 거칠 수 있을 때 비로소 파닉스는 의미를 갖는 것이다.

소리부터 시작하자

한국 아이들의 영어공부도 소리부터 시작해야 한다. 소리라는 것은 언어의 출발점이다. 어떤 언어의 경우든 마찬가지다. 그것은 언어 습득을 위한 첫 걸음이다.

교사들도 아이들에게 소리를 먼저 익힐 수 있도록 지도를 해 주어야 한다. 그러나 안타깝게도 한국 아이들은 영어를 배울 때 문자부터 시작하는 것이 보통이다. 아이들을 위한 영어교재를 펼쳐보면 대부분 ABCD를 익히는 것으로 공부를 시작하게 돼 있다.

그래서 아이들에게 영어가 더 어렵게 느껴지는지도 모른다. 소리라는 언어의 가장 초보적인 단계를 무시하기 때문에, 소리를 먼저 익힌다는 가장 자연스러운 순서를 무시하기 때문에 외국어를 배우는 일이 더 어려워진다.

한국에 갔을 때 들은 이야기. 어느 유학생이(지금은 대학교수) 덴마크에 처음 갔을 때 생전 처음 듣는 덴마크의 말이 마치 새들의 지저귐처럼 들렸다고 한다. 문자도 모르고 해서 무조건 소리부터 익혀 덴마크어를 배우고, 성공적으로 유학을 마쳤다는 것이다. 아이들의 영어공부는 소리부터 시작해야 한다. 이것이 영어를 가르치는 순서다. 다시 pretend라는 단어를 생각해보자.

한국 아이들에게 그 단어를 가르칠 때는 먼저 그 단어의 발음을 반복해 들려주면서 소리를 익히게 한다. 이때 단어를 쓰게 하거나 하는 식으로 스펠링에 신경을 쓰지 않도록 주의한다.

그리고 나서 pretend라는 단어가 들어 있는 문장을 소개하면서 행동으로 pretend라는 단어의 뜻을 짐작할 수 있도록 도와준다. 예를 들어 "I am pretending to drink something."이라고 말하면서 뭔가 마시는 시늉을 해 보이는 것이다. 이 과정을 거치면 어떤 단어의 의미를 모국어로 이해하기 전에 개념을 먼저 받아들이는 효과를 얻을 수 있다.

이 과정을 반복하여 pretend라는 단어와 그 용법을 충분히 익힌 뒤에는 이 단어를 이용하여 작문을 해보게 한다.

이 과정은 아주 단순해 보이지만 아이들은 짧은 시간 안에 듣기 말하기 읽기 쓰기를 모두 공부할 수 있다. 시간이 부족하면 작문은 숙제로 낼 수도 있을 것이다.

물론 처음에는 이 수업방식 자체가 아주 복잡하게 느껴질지 모른다. 그리고 한 단어를 익히는 데 저렇게 많은 시간이 걸리게 되면 양적인 측면에서 문제가 있는 것은 아닌가 하는 의문이 나올 법하다. 그러나 실제로는 그렇지 않다. 초기에는 이 과정이 너무 번거롭고 시간이 많이 걸린다고 생각할지 모르지만 이 과정을 거치면 아이들은 살아 있는 영어를 배울 수 있게 된다.

어디에 어떻게 쓰는지도 모르는 단어를 잔뜩 외워 놓아보아야 그것이 언어실력이 되지 않는다는 것은 기존의 교육의 결과가 웅변으로 증명해주고 있다. 머릿속에는 무언가 가득 들어 있지만 머릿속에서만 뱅뱅 돌 뿐 끝내 실생활에서 도움이 되지 못하는 어휘는 아무리 많이 알고 있어도 의미가 없다.

마찬가지로 혀끝에서만 빙빙 돌 뿐 소리가 되어 입밖으로 나와주지 않는 단어는 무용지물이다. 언어의 의미를 철저히 익히고 실제 연습을 해보는 것보다 더 좋은 영어공부 방식은 없다.

어린 아이들에게 언어를 가르칠 때 반드시 명심해야 하는 몇가지 원칙이 있다.

첫째 구체적인 단어부터 시작하라는 것이다. 아이들에게 단어를 가르칠 때는 그것이 모국어든 외국어든 구체적인 단어여야 한다. 사과, 책상, 하늘, 연필처럼 아이들이 쉽게 기억하고 이해할 수 있는 단어여야 아이들이 실제 생활에서 응용할 수 있는 어휘로서 축적될 수 있다.

두번째 원칙은 "여기 그리고 지금(Here and Now)" 사용될 수 있는 표현에 중점을 두라는 것이다. 어린이를 위한 책을 고를 때도 시제가 과거이거나 미래인 것은 적합하지가 않다. 아이들이 지각(知覺)할 수 없는 것이라면 아이들에게는 별 의미가 없는 단어이다.

셋째 아이들에게 새로운 어휘를 가르칠 때는 개념을 먼저 파악하게 해주어야 한다. 단어를 받아들이기 전에 그 의미를 이해해야 훨씬 더 자연스럽고 효과적으로 받아들여질 수 있다.

영어로 생각하기

영어를 어지간히 하는 사람도 미국인과 영어로 대화를 할 때 일단 한국어로 번역을 해서 듣기를 하고, 말할 때도 역시 한국어를 영어로 번역하여 말하는 경우가 많다. 물론 이 과정은 순식간에 이루어지는 것이지만 상대방과 보통 말하는 빠르기로 한참 하다보면 따라가기가 매우 어려워진다. 머릿 속에서 재빠르게 번역하는 동안 상대방은 한참 더 나아가 있다. 나는 지금 영어로 생각하기가 잘 안되는 데서 오는 듣기, 말하기의 어려움을 말하고 있다. 학생들은 영어 시간에 교사로부터 흔히 영어로 생각하라는 말은 들었을 것이다.

한국을 방문했을 때 나는 몇 사람으로부터 "교수님은 어떻게 그렇게 곧잘 영어로 말했다가 한국어로 말했다가 하십니까?" 신기하다는 듯 물어왔다. "내 머릿속에는 한국어의 코드와 영어의 코드가 따로 있습니다." 그렇게 대답했다. 영어로 말하는 중에는 단 한 단어도 한국어로 번역하거나 하지 않는다. 미국인이 영어로 말할 때처럼 영어로 생각하고 영어로 이해하지 단 한 순간이라도 한국어로 해석하고 한국어로 저장하지 않는다. 미국에서 교수생활을 하면서 어떤 때는 아주 오랫동안 한국 사람들을 못만나고 지낼 때가 있다. 그런 때는 한국어를 머리 속에서 단 한 단어도 떠올리지 않고 지내기도 한다. 꿈도 영어로 꿀 때가 훨씬 많다.

이런 정도의 수준이 되려면 교실에서 학생들이 교사로부터 '영어로 생각하라.'는 말을 들은 그대로 훈련하는 것이 필요하다. 평상시에는 영어로 생각을 안하고 있다가 갑자기 영어로 말하기를 하려다 보니 두뇌는 번역기가 될 수밖에 없다. 이래가지고는 실제 상황 속에서 상대방을 따라가기가 어려울 수밖에 없다. 영영사전을 보라는 말도 따지고 보면 영어로 생각하기와 무관하지 않다고 할 수 있다. 자나깨나 앉으나 서나 영어로 생각하라. 그렇게 하면 머릿속에 한국어 코드와 다른 영어 코드가 자연스럽게 생겨날 것이다. 영어로 생각하려면 영어의 기본문형을 마스터해야 가능할 것이다. 영어의 기본 문형을 체득하려면 무어니해도 교과서를 외우는 것도 썩 괜찮은 일일 것이다.

성인들의 영어 발음 문제

어릴 때 정확한 영어발음을 익히지 못한 어른들의 경우에는,

발음 교육의 목표가 아이들과는 조금 다르다.

95년 여름 한국에 갔을 때 시내의 한 호텔 식당에서 중년의 신사가 외국인과 이야기를 나누는 것을 가까이에서 들을 기회가 있었다.

두 사람은 영어로 사업에 관한 이야기를 하고 있었는데 그 중년의 한국신사는 한국어의 액센트가 아주 강한 영어를 구사하고 있었다.

그럼에도 불구하고 두 사람의 대화는 막힘 없이 풀려가고 있었다. 적어도 언어가 장애가 되는 것처럼 느껴지지는 않았던 것이다. 그럴 수밖에 없는 것이 그 신사는 거의 완벽한 문장구조로 정확한 의미를 전달하고 있었다. 발음도 영어 모국어 사용자가 알아듣는 데는 전혀 무리가 없었다.

외국어를 배우다 보면 다소 무리를 해서라도 소위 '본토발음'에 가까운 소리를 내고 싶어지는게 인지상정이다. 주변에서도 그런 사람을 자주 보는데, 제스처와 외마디 말은 꽤 미국인 흉내를

---

14) Computer의 발음은 본래 kəmpyütə(r) 로 어디까지나 't'소리에 약간 'r'이 섞여 나는 것이 "미국식 발음"이었는데 't'가 점점 약해져서 'd'로 접근해서 kəmpyüdə(r)로 발음하여 들리는 것이 지금 미국 사람들의 대부분이나 't'를 내는 사람도 상황에 따라 더러 있다. 그러나, 한국에서처럼 미국인 흉내를 낸답시고 'r'을 생각하여 아예 '러'로는 절대 발음하지 않음. '러'처럼 한국 사람들의 '귀'에 들리는 것 같지만 'd'로 발음하지 'r'로는 절대 발음하지 않으니, '미국사람'처럼 발음해 보고자 하는 심정은 가상스러우나, 'd'소리로 해보던지, 't'를 분명히 하는 것이 훨씬 좋음. 't'를 분명히 발음한다고 흉보는 사람들도 없거니와 의사소통에 오히려 유리하며, 분명히 내는 't'의 발음을 미국에서는 "대륙발음"이라고 하는 사람들이 많음, 유럽대륙에 "영국"이 속한 탓도 있음.

내는 데도 영어의 기본이 안돼 있어 내용은 전혀 통하지 않는 말만을 한다. '컴퓨터'를 '컴퓨러'라고 발음하는 한국인들이 꽤 있는 것도 이 범주에 속한다 14)

물론 정확한 발음의 중요성을 인정하지 않는 것은 아니다. 다만 외국어를 익힐 때 문장구조나 의미 파악의 중요성에 비한다면, 발음은 부차적이라는 뜻이다.

지구상에는 가지각색의 영어가 있다. 이 중에서도 미국·영국·오스트레일리아·캐나다·뉴질랜드·아일랜드 등에서 사용되는 영어는 액센트의 차이는 있을지언정 상호간에 이해하는 데 지장은 없으므로 '모국어 범주'에 들어간다.

그 외의 것은 소위 '외국 액센트'로서, 각각 다른 모국어의 배경을 가진 사람들이 구사하는 영어인데, 그래도 모국어 사용자가 들어서 이해할 수 있는 한은 큰 무리가 없이 '영어'의 범주에 포함시킨다.

발음 문제를 생각할 때 명심해야 할 것은 언어를 배우는 본질적인 목표가 '의사소통'에 있다는 것이다. 따라서 멋진 소리를 내는게 중요한 것이 아니라 정확한 소리를 내는 것이 중요하다.

교과서 중심 교육에서 벗어나라

미국의 국민학교 교실에서는 영어에 관한 한 이제 교과서가 그 위력을 잃어가고 있다. 아직도 교과서를 신주 모시듯하며 모든 학습의 중심에 두고 있는 한국과는 아주 다른 현상이다.

교과서 대신 교재로 쓰이는 것은 동화책이나 문학작품 등이 실린 진짜(?)책이다. 미국 아이들도 교과서라고 하면 따분한 것으로 받아들이는 경향이 있다. 교과서란 공부를 위한 공부, 학습을 위한 학습 자료라는 선입견 때문에 아이들은 교과서를 받아들면 괜히 하품부터 하고 지겹게 여기는 것이다.

학습효과를 최대한 얻어내기 위해서는 아이들이 흥미를 느낄 수 있게 해주어야 하기 때문에 아이들이 평소 재미있게 읽고 있는 동화책을 교과서 대신 사용하면 학습 효과는 훨씬 크다.

수업을 시작하면서 아이들이 재미를 느끼고 집중한다고 생각해보라. 학습의 효과는 기대 이상으로 나타날 것이 틀림 없다.

교과서를 가지고 수업을 하면서 책을 읽히면 아이들은 하기 싫은 것을 억지로 한다는 생각에서 벗어나기 어렵다. 그런 상태에서는 아무리 강제를 해도 아이들이 한 페이지를 집중해서 읽기가 어려운 것이 사실이다.

그러나 재미있는 동화책을 읽는다고 하면 아이들은 시키지 않아도 다 읽어 버린다. 아이들은 그것이 학교에서 하는 공부라는

---

15) How to teach the language arts using children's literature:

영어를 모국어로 사용하는 학생들이 전력을 다해 배운 후 교사가 된다해도 여전히 허덕이는 '아동문학(좁은 의미의 '허구' 작품뿐만이 아님.)을 이용하여 지도하는 방법을 어찌 간단히 적어 강조를 할 수 있을 것인가? 하나 '입맛'만 다시도록 하기 위한 큰 줄거리만 간추려본다. 먼저 '동화'란 표현을 하지 말 것. Children을 위해 쓴 모든 책들(동화, 동시, 실화, 과학정보, 역사서, 인물전기)을 포함해야 한다. 여기에서 쓰는 text라는 뜻은 textbook(학교 교과서)가 아니고 언어를 학습하기 위해 이용하는 모든 자료이다.

생각도 잠시 접어둔 채 자신들의 흥미와 관심이 시키는 대로 후딱 읽어 치우기 때문이다. 교과시간에 책상 밑에 만화책을 펴놓고 딴전을 부리는 학생들의 경우를 보라. 15)

이것은 결국 교사가 억지로 아이들의 학습동기를 유발시켜야 하는 부담을 덜어주는 효과를 발휘한다. 그러나 여기에도 문제가 없는 것은 아니다. 수업시간에 동화책을 사용하면 기존의 교과서와는 달리 학생들을 가르치는 지침이 서 있는 것이 아니기 때문에 수업을 이끌어 가는 방식은 전적으로 교사의 능력에 의존하게 된다.

따라서 창의력이 있고 제대로 훈련을 받은 교사라면 학습효과를 배가시키는 효과를 거둘 수 있지만 교사가 그런 능력을 갖추지 못했을 경우에는 처음의 의도와는 달리 수업을 제대로 진행시키지 못하는 위험이 있을 수 있기 때문이다.

반대로 교사의 능력이 출중하다면 기존의 교과서만 가지고도 새로운 교육의 효과를 얻을 수도 있다. 기존의 교과서를 교재로 활용, 총체적 언어교육방식을 적용하면 얼마든지 소기의 효과를 얻을 수 있기 때문이다.

한국에서는 교과서가 학습을 좌지우지한다고 할만큼 교과서를 만드는 데 심혈을 기울이고 있고, 또한 끊임없이 교과서를 개정하고 있는 것으로 안다.

그러나 언어를 가르치는 분야에서 교과서의 중요성은 그렇게 큰 것이 아니다. 특히 아이들이 글을 읽고 이해하는 능력을 키우는 데 있어서는 교과서에 그렇게 크게 의존할 필요가 없다.

미국에서는 바로 이러한 새로운 경향을 감안하여 기존의 교과서를 만들어 온 출판사들도 서서히 변화하고 있다. 총체적 언어교육방식의 철학을 도입, 딱딱한 교과서 안에 재미있는 내용들을 집어넣고, 예문들도 실제 이야기에서 따오는 등 여러 가지 시도를 하고 있는 중이다.

그러나 일단 교과서라는 틀 속에 싸이면 진짜 이야기 책보다 더 재미있게 느껴지기 어려운 것이 사실이다. 교사들이 최선을 다해 노력해야 할 것은 아이들이 재미를 느끼게 하는 것이다.

아이들이 책을 들고 흥미를 느끼면 학습의 효과는 절반 이상 나타난 것이나 마찬가지다. 이 상태에서 더 좋은 학습지도 전략을 구사한다면 그 이상의 방법은 없다고 해도 과언은 아닌 것이다.

독자 여러분께

오래 전에 읽은 고교 교과서였던 것으로 기억한다. 국문학자 양주동 박사가 어릴 적 영어공부를 하다가 아무리 궁리해도 3인칭의 뜻을 알 수 없어 눈속 삽십리 길을 가서 “나는 1인칭, 너는 2인칭, 그밖의 우수마발이 다 3인칭이니라.”는 말을 듣고 깨우쳤다는 이야기가 생각난다. 아무리 잘 쓰여진 영어책을 가지고 공부하더라도 모르는 부분이 있게 마련이다.

그러나 이렇게 자기가 알고 싶어 못견디는 문제가 속이 확 뚫리듯이 알게 될 경우 그 기쁨은 얼마나 큰지 모른다. 공자도 아침에 도를 깨달으면 저녁에 죽어도 좋다고 하지 않았던가. 어찌 영어가 공자의 도와 같을 것인가마는 기왕 할 바에야 끝까지 해보는 것이 자신의 인생을 의미있게 하고, 보람차게 하는 것이라고 나는 생각한다. 영어공부를 한다고 해서 모든 사람들이 다 나처럼 영어학자가 될 것은 아니지만 일단 영어공부를 하는 바에야 제대로 해보라고 권하고 싶다.

나는 이 책을 쓰면서 내가 지난 한 평생 영어공부하느라고 겪어온 온갖 어려움을 나의 후배들에게는 물려주지 않아야겠다고 생각했다. 그래서 앞으로 내가 쌓아온 영어에 관한 지식을 조국의 영어발전을 위해 "사회환원"하고 싶다. 독자들에게 이 자리를 빌어 약속하건대 앞으로 영어학습에 관한 책들을 힘이 닿는 대로 써서 도움이 되도록 하려고 한다. 많은 관심과 기대를 모아주었으면 한다.

그리고 영어공부를 하다가 궁금한 대목이 있으면 다음의 주소로 질문해 주기 바란다. 가능하면 개별적으로 답신을 보내겠지만 여의치 못할 경우 이후로 내가 쓰게 될 책에 그 질문을 반영하도록 할 것을 약속한다. 만일 내가 혹시 대답하기 어려운 내용이라면 미국의 대학에 있는 지면있는 학자들의 도움을 빌려서라도 답하도록 할 참이다. 학생, 교사, 직장인 그리고 영어학도들의 질문을 환영한다.

문의할 주소
한국 : 서울시 종로구 내수동 1번지(대성빌딩 507호) 에디터 전교 하광호
미국 : Dr. A. K. Ha
Potsdam College of the State University of New York
Potsdam, New York 13676.2294
U.S.A.

E-Mail Address:
haak @ potsdam. edu.

이 글을 마치며

좀 과장해서 이야기하면 나는 영어밖에 모르는 사람이다. 중학교 입학과 함께 시작한 영어공부를 한평생 지금까지 계속해오고 있으니 내가 한 말은 과장이랄 것도 없다.

게다가 내가 지금까지 거쳐온 직업들도 대부분 영어와 관계된 것, 즉 통역·영어교사·영어교수다. 나는 지금도 미국의 대학에서 영어를 가르치고 있고, 아마 앞으로도 상당 기간은 영어를 가르치는 일에 전념할 것이다.

나는 중학교에 들어가면서 처음 영어와 접하고 그 새로운 언어에 매료되어, 지나치다 싶을 정도로 영어공부에만 매달렸다. 스무살 무렵부터는 그간 닦은 영어실력을 토대로 통역으로 일했고 광주고등학교에서 영어교사로 근무한 적도 있다.

그러다가 고교 영어교사로 있던 중에 미국으로 유학, 영어학으로 석사와 박사과정을 마치고 미국의 초·중·고교에서 영어와 역사 사회를 가르쳤다. 그리고 지금은 사범대학의 영어교육과 교수로 재직하고 있다.

결국 내 인생은 가로축과 세로축이 모두 영어인 셈이다. 내가 근무하고 있는 뉴욕주립대학 포츠담캠퍼스에서는 한국인을 만날 일이 거의 없다. 최근에 우리 대학 옆에 공과대학이 생겨 어쩌다 유학생을 만나기도 하지만 여전히 동양인을 보기 어려운 곳이 바로 내가 살고 있는 지역이다.

또 동양인이 있다고 해도 대부분은 미국에서 태어났거나 아주 어릴 때 미국에 이민온 사람들이므로, 외모로만 보면 동양인일지 몰라도 사회·문화적으로는 완전히 미국인이다.

그러한 환경에서 장차 미국 국민학교의 영어교사가 될 대학생들을 지도하고 있으니 나의 제자들조차도 대부분 내가 미국에서 태어난 동양인이겠거니 생각하고 있다. 그것은 나의 동료교수들의 경우도 마찬가지이다. 나 자신도 내가 외국인이라는 사실을 거의 느끼지 못하고 산다.

95년 여름 한국에 다녀온 직후의 일이다. 내가 한국에서 가서 영어교사들을 대상으로 연수를 했다는 소식이 알려지자, 미국의 한 지역신문의 기자가 나를 만나러 와서 나에 관한 인터뷰를 하고 기사를 썼다.

그런데 나중에 기사를 보니, 내가 미국에서 태어났다고 쓰여 있었다. 그 기자는 나에게 그런 질문을 한 일조차 없었는데 말이다. 사연을 알아보니, 그는 신문사에 돌아가서야 나에게 그 질문을 하지 않았다는 사실을 깨닫고 내게 전화를 걸었으나 나는 그 때 자리에 없었다. 마감시간에 쫓긴 그 기자는 우리 과사무실의 직원에게 전화를 걸었는데, 직원 중 누군가가 "아마, 미국에서 태어났을 걸요."라고 말했다고 한다.

그러나 나는 한국에서 태어났고 그곳에서 공부하고 일하며 30년 가까이 보냈다. 남과 다른 점이 있다면 영어를 좋아해 늘 영어공부를 했다는 것뿐이다.

나 스스로 생각해도 놀라운 것은, 그렇게 어렸을 때에도 영어공부가 괴롭다거나 하기 싫다거나 하는 생각을 해본 적이 없다는 것이다. 아마도 그런 특별한 인연 때문에 나는 한눈 팔지 않고 고집스럽게 외길 인생을 살 수 있었는지도 모른다.

내가 미국에서 영어교사가 될 학생들에게 영어를 가르치고 있다고 하면 사람들은 나의 경력을 믿으려 들지 않는다. 평생 공부해도 정복하기 어려운 것이 외국어라고 하는데 어떻게 한국에서 태어나 교육받은 사람이 미국에 가서 미국사람들에게 영어를 가르치는 법을 가르치는 영어교육과의 교수 수준에 이를 수 있느냐는 것이다.

실제로 미국 사범대학 영어과(미국 입장에서 보면 국어다)에서 나와 같은 배경을 가진 사람을 찾는다는 것은 쉽지 않을 것이다. 한국인은 물론이고 다른 나라 출신의 경우도 마찬가지다. 실제로 나와 같은 경우를 나는 들어본 일이 없다. 그러나 어쨌든 나는 그것을 해냈다. 물론 그 과정은 쉬운 것이 아니었다. 저절로 된 것은 더욱 아니다. 나는 열심히 노력해서 그것을 이루었다.

나는 영어를 가르치고 공부하는 전문가의 입장에 서서 내가 공부해온 과정을 돌이켜 생각해보곤 한다. 의도한 것은 아니었지만, 그 과정은 내가 지금 주장하고 있는 「총체적 언어 프로그램」에 의한 공부방법으로 이루어진 것이라고 할 수 있다.

나는 말하고 듣고 읽고 쓰는 언어의 네 가지 측면을 동시에 공부하면서 그것이 서로 분리될 수 없는 하나의 것이며 분리시켜 가르칠 수도 없다는 것을 오랜 영어연구 과정을 통해 깨닫게 되었다. 요즘은 미국에서조차도 언어를 여러 측면으로 분리시켜 가르치던 기존의 방식을 지양하고 새로운 종합적인 방식으로 영어를 가르치는 사람들이 늘고 있다.

언어는 다 마찬가지다. 그것을 모국어로 배우든 외국어로 배우든 방법은 다르지 않다. 한국의 영어공부 열기는 그 어느 나라 못지 않다. 그러나 성과는 변변치 못한 것이 현실이고(일례로 토플 시험에서의 한국의 국가 순위는 131등) 그래서 어떻게 하면 영어를 잘 할 수 있을까 라는 고민도 그만큼 진지해졌다고 생각한다.

우리가 태어나 자라면서 말을 배우는 과정으로 돌아가 보자는 것이 내가 제안하는 영어공부 방법이다. 아기가 태어나면서부터 말을 하는 법은 없다. 개인의 차이는 있지만 인간에게는 듣기만 하는 침묵의 기간이 있다. 그러다가 하나하나 말문이 트이고 말을 하게 된다. 말을 어느 정도 할 수 있게 되면 그 말을 적는 문자를 익힌다. 그리고 나면 글을 쓰고 읽을 수 있게 된다.

외국어도 마찬가지다. 어릴 때 배우든 성인이 되어 배우든, 우리가 모국어를 배우는 과정을 압축시켜 적용하면 우리는 외국어를 훨씬 더 그 나라 말답게, 나아가서는 모국어 수준으로 구사하게 될 것이다.

지금까지 나는 나만의 영어 공부방법과 한국의 영어교육에 대한 문제점, 공부 방법 그리고 미국의 교육 현장에서 체험한 갖가지 이야기들을 말했다. 결국 이 글은 평생을 영어라는 하나의 축을 기준으로 살면서 도를 닦듯 공부해온 한 영어학자의 이야기이다. 그리고 그 눈에 비친 언어교육의 문제에 관한 이야기이다.

오랫동안 한국을 잊고 살았다. 그러다가 지난 95년 한국을 방문하여 우연히 중학교 영어교사들을 대상으로 워크샵을 실시하게 되었다. 나의 강의에 대한 일선 영어교사들의 반응은 기대했던 것 이상으로 뜨거웠다. 국내의 한 일간지 신문과 월간지에 소개된 나에 관한 기사를 읽고 많은 사람들이 연락을 해왔다.

영어교과서를 써달라, 영어참고서를 감수해 달라, 어학 테이프 만드는 작업을 도와달라 등등 일일이 열거하기도 어려울 정도로 많은 요청이 쇄도했다.

나 역시 한국에서 영어교사로 일했던 경험이 있는지라, 그 교사들이 겪고 있을 갈증이 너무나도 생생하게 느껴졌다. 이제 막 선진국 진입을 목전에 둔 한국이 '세계화'와 '국제화'의 가장 기본적인 수단이자 발판인 영어 익히기에 얼마나 고심하고 있는가 하는 것도 실감할 수 있었다.

게다가 오는 97년부터 국민학교에서부터 영어교육을 실시하기로 했다니, 이제 정말로 영어학습 문제가 발등에 불이 떨어진 것이다. 다소 늦은 감은 있지만 얼마나 다행스러운 일인지 모른다.

어쨌든 이 일련의 체험을 통해서 나는 한국의 영어교육에 내가 기여할 부분이 있다는 것을 깨닫고 진심으로 기뻤다. 내가 수십년간 공을 들여 연구하고 공부해온 것을 한국을 위해 쏟아 부을 수 있다니 그것보다 행복한 일은 없을 것이기 때문이다.

이 책을 쓰게 된 것도, 먼저 나의 체험을 전달하기 위해서였다. 이 기회에 한국에 '총체적 언어 철학'을 뿌리내리게 하려면 바로 그 과정을 통해 영어를 익히고 가르쳐온 나의 체험을 낱낱이 드러내줄 필요가 있다고 보았기 때문이다.

결국 이 책은 나의 영어지도법이 어떤 것인가를 먼저 보여줌으로써 일차적으로 이 방법에 대한 공감을 끌어내기 위해서 쓴 것이다. 이제 앞으로 구체적인 영어지도법, 독해, 문법 등을 단계별로 소개한 책들을 내놓을 계획이다.

95년에 교육부 주선으로 한국의 전국 각지를 돌며 영어교사들에게 강의를 했더니, 많은 교사들이 내 지도법에 공감하며 지침서가 있었으면 좋겠다는 바람을 이야기해 왔다. 내가 근무하고 있는 대학으로 연수를 받으러 오겠다는 교사들도 여럿 있었다.

부족하나마 이 책으로 '총체적 언어 철학'에 대한 아쉬움을 달랠 수 있기를 진심으로 바란다.

한가지 덧붙이고 싶은 것은 '과연 한국의 교육현장에서 당신의 지도법이 가능하겠느냐.'는 회의 어린 질문에 관한 것이다. 학생수도 많고, 교사들의 자질도 아직 부족하고 여러 모로 상황이 어려운데 어떻게 새로운 교육방식을 일거에 도입할 수 있겠느냐는 것이다.

지당한 말이다. 그러나 그렇다고 해서 가만히 있을 수만은 없다는 것이 내 생각이다. 이러저러해서 못하겠다고 하면 국제화니 선진국 진입이니 하는 꿈도 다 포기해버리면 그만이다. 우리 2세들이 국제무대에 나가 우리 세대처럼 상대방이 영어로 얘기하면 그저 말없이 빙그레 웃고만 있는 반벙어리 노릇이나 하라고 내버려 둘 것인가.

반복되는 얘기지만 이 세상에 쉬운 일은 없다. 훌륭한 성과를 얻으려면 그에 상응하는 희생과 노력이라는 대가를 치르지 않으면 안된다. 백년대계라는 교육 부문에서는 조그만 변화도 얼마나 많은 저항과 장애를 가져오는지 잘 알고 있다. 그래서 영어지도법의 변화를 시도하려고 해도 혁명을 하는 것과 마찬가지로 어렵다는 것을 잘 알고 있다.

그래서 나는 감히 영어교육의 혁명을 일으켜야 한다고 주장한다. 그렇게 되면 아마도 가까운 장래에, 우리나라의 2세들은 (지금의 국민학생들이 대학에 갈 때 쯤에는) 영어로 듣고 말하고 읽고 쓰는 기초가 탄탄히 갖춰진 성인으로 자라날 수 있을 것이다.

이런 전망을 열어가는 데에 내가 조금이라도 기여할 수 있다면 나의 여생을 조국의 영어교육 선진화에 바치고 싶다. 이것이 나의 소박한 꿈이다. 16)

---

16) (1) 언어교육에서 잘못 생각하고 있는 것들이 많으니 서로 도와 조금이라도 바로 잡아가자는 것이다.

(2) 영어를 외국어로 학습하는 사람들이 한국인들이기 때문에 영어를 모국어로 사용하는 미국에서의 여러 교수방법을 조금이라도 배우도록 하고 싶은 심정에서이다.

(3) 한국에서도 무엇인가 잘못이 있기에 오랜 세월에 비해 교육의 결과가 너무 빈약하다고 생각하여 마침내 교육부가 국민학교에 영어교육을 실시할 계획을 짜는 등 대담한 시도를 하는 의지를 보였기 때문이다.

(4) 한국인은 지적으로 우수하며 교육방법의 잘못으로 희생을 당했지 결코 타민족에 뒤지지 않기 때문이다.

(5) 끝으로는 자녀들의 학습을 위해서는 온 정성을 아끼지 않는 한국의 부모들의 열성에 감탄했기 때문이다.